中级汉语口语

话 说 中 国

（修订版）

下　册

Speaking Chinese About China

(Revised Edition)

II

华语教学出版社
中国 · 北京

First Edition   1985

(First Published by Foreign Languages Press, Beijing, 1985)

Revised Edition   1989

Second Printing   1990

Third Printing   1995

Second Revision   2002

Second Printing   2009

ISBN 978-7-80052-855-2

Copyright 2002 by Sinolingua

Published by Sinolingua

24 Baiwanzhuang Road, Beijing 100037, China

Tel: (86) 10-68320585

Fax: (86) 10-68326333

http://www.sinolingua.com.cn

E-mail: hyjx@sinolingua.com.cn

Printed by Beijing Foreign Languages Printing House

Distributed by China International Book Trading Corporation

35 Chegongzhuang Xilu, P. O. Box 399

Beijing 100044, China

Printed in the People's Republic of China

原版编者
中国

北京大学	杜　荣　张起旺　赵燕皎
北京语言大学	杨石泉
北京外国语大学	姜林森

美国

Wellesley College （威斯理学院）	Helen T. Lin	（戴祝念）
	Ruby Y. C. Lam	（刘元珠）
	William W. Liu	（刘维汉）
	Theresa C. H. Yao	（郜树蕙）
	Micheal Crook	（柯马凯）

修订版编者
中国

| 北京大学 | 杜　荣 |

美国

| Wellesley College
（威斯理学院） | Ruby Y. C. Lam | （刘元珠） |
| | Theresa C. H. Yao | （郜树惠） |

目 录

下 册

CONTENTS

下 册

第 1 课

到中国农民家作客

到中国农民家作客

地点：河北省农村

人物：王大叔　农民　七十三岁

　　　王铁牛　农民　四十五岁　王大叔的儿子

　　　铁牛妻　农民　四十多岁

　　　李村长　五十一岁

　　　史密斯　美国国会议员　五十七八岁

（王大叔的大院子，北边是一座两层的新楼房，楼前有两棵大树，树下有一张小桌和几个小凳子。王铁牛正在修理一台拖拉机，铁牛妻到楼前不远的菜地里去摘菜，王大叔从屋里走出来。）

王铁牛：爹，李村长说美国客人十点到，快十点了吧？

王大叔：十点都过了。

　　　　（敲门声。李村长、史密斯先生上）

李村长：王大叔，客人来了！这位就是史密斯先生，这是王大叔。

王铁牛：我叫王铁牛。

史密斯：（和王大叔、王铁牛一一握手）你好，你好！对不起，今天来打扰你们了。

王铁牛：哪儿的话。欢迎您到我们这儿来。

　　　　（铁牛妻听见客人来了，从菜地走过来。）

王铁牛：这是我爱人。

史密斯：你好！

铁牛妻：你好！欢迎，欢迎！请屋里坐吧。

史密斯：（指着小桌）我看这儿就很好。

2

李村长：对，院子里凉快，先在这儿坐一会儿也好。

铁牛妻：你们先谈着，我一会儿就来。

史密斯：您请便吧，不客气！（铁牛妻下，史密斯坐下，指着楼房）这楼房真漂亮，是新盖的吧？

王大叔：可不是嘛，前年冬天盖的。这几年大家生活都好了，手里有了钱，家家盖新房，您看那边的一片楼房都是新盖的。

史密斯：啊！中国农村的变化太大了。您在这村里住了很多年了吧？

王大叔：我们原来是河南人，解放前有一年河南发了大水，我们才逃到这儿来，租了地主几亩地，可每年打下的粮食几乎一半儿都交租了，剩下的还不够吃半年的。

史密斯：那时候农民的日子真不好过！您在土地改革的时候分到土地了吧？

王大叔：1950年土改，我家分到了八亩地，生活才一天一天好了起来。

李村长：那几年的农业发展得可快了。

史密斯：六十年代初中国的农民是不是又受了一些苦？

李村长：可不是嘛！1958年我们的国家在政策上出现了一些失误，影响了农民生产的积极性。加上连续三年的自然灾害，农业上的损失很大，农民确实也受了一些苦。

王铁牛：要说对农业生产的破坏，那要算十年"文化大革命"最厉害了。那时候只让种粮食，别的生产都不让搞，农民穷得很，我连小学都没能上完，哪儿像大林现在这么好啊！

史密斯：大林是谁？

王大叔：是我孙子，今年十六了。刚上高中，今天一早就到县里农科站学习农业科学技术去了。

史密斯：农科站大概就是农业科学站吧，县里还有农科站？

李村长：有。现在大家都在学习科学种田，国家还派农业大学的教授来讲课呢。农民掌握了科学知识，生产就会大大地提高。

史密斯：是啊。你们家今年种了几亩地？

王大叔：十亩。种的是小麦，现在快要熟了。等麦子熟了，就得忙着收麦子了。

王铁牛：现在是国家把土地包给农民个人去耕种，收了粮食要把一定数量的粮食卖给国家，其余的都归农民个人所有。

李村长：农民多劳多得，所以大家现在的干劲可高了。

王大叔：我们种的小麦年年超产，除了卖给国家的以外，剩下的自己吃都吃不完。(铁牛妻端西瓜上)

铁牛妻：这是我们自己种的西瓜，请您尝尝。

王铁牛：我们在地里种了不少瓜果蔬菜，冬天用大棚盖着，自己吃不了，还运到城里去卖，让城里人冬天也能吃上新鲜的蔬菜。

铁牛妻：我们的粮食亩产都是一千多斤，这些年又发展多种经营和乡镇企业，这样一来，这里的农民就都富起来了，都买了电视机、电风扇，有人还买了拖拉机，还有买汽车的呢。

李村长：不过中国还有不少地方并没有达到这样的生活水平，还比较穷。全国农产品的人均占有量还相当低。

史密斯：是啊，中国的人口有十二亿，可是耕地听说只有十五亿亩，在不到世界百分之七的耕地上，要养活世界五分之一的人口，不用说，困难是很大的。现在大家能吃饱饭，生活水平也在不断提高，这已经很不容易了。

铁牛妻：这儿有点儿晒了吧？咱们还是到屋里坐吧！

史密斯：好，正想参观您的新房子呢。(大家站起来，边走边谈)

李村长：几十年来的经验证明，我们发展农业，一要靠政策，二要靠科学。

史密斯：您说得太对了！我衷心希望中国能够早日实现农业现代化。

1. **地点** dìdiǎn（名）

   place

2. **大叔** dàshū（名）

   uncle（a polite form of address for a man about one's father's age）

3. **村长** cūnzhǎng（名）

   the head of the village

4. **院子** yuànzi（名）

   courtyard

5. **层** céng（量）

   story（for floor of house）

6. **楼房** lóufáng（名）

   house（of more than one story）

7. **凳子** dèngzi（名）

   stool

8. **台** tái（量、名）

   （a measure word for machines, shows, etc.）

   ○ 一台电视机

   a television set

   ○ 一台机车

   a railway engine; a locomotive

9. **拖拉机** tuōlājī（名）

   tractor

10. **摘** zhāi（动）

    to pick, to pluck

11. **敲** qiāo（动）

    to knock

12. **一一** yīyī（副）

    one by one

13. **握手** wòshǒu

    to shake hands

14. **打扰** dǎrǎo（动）

to trouble, to disturb

15. 哪儿的话 nǎrdehuà

not at all

16. 请便 qǐngbiàn

do as you wish

17. 盖 gài（动）

to build

18. 租 zū（动、名）

to rent, to lease; money paid to the landlord

○ 他要租三间房子。

He wants to rent three rooms.

○ 房租多少钱?

How much is the rent of the house?

19. 亩 mǔ（量）

a measure of land（6.6 亩 = 1 acre）

20. 几乎 jīhū（副）

almost, nearly

21. 土地改革 tǔdì gǎigé

land reform

22. 加上 jiāshang（动）

to add; plus

23. 损失 sǔnshī（名、动）

loss; to suffer a lose

○ 发大水那年，王大叔家损失了很多东西。

During the flood that year, Uncle Wang's family lost a lot of things.

○ "文化大革命"时期，中国工业、农业都遭受到很大损失。

During the "Cultural Revolution" in China, both industry and agriculture suffered severe losses.

24. 算 suàn（动）

to regard as, to consider

25. 厉害 lìhai（形）

severe, terrible

○ 这几天热得厉害。

It has been terribly hot these few days.

26. 搞 gǎo（动）

   to do, to be engaged in

   ○ 你是搞什么工作的？我是搞教学工作的。

   What kind of work do you do? I'm a teacher.

   ○ 你先把这个词的意思搞清楚，再谈用法。

   You must first have a clear understanding of the meaning of this word
   and then learn its usage.

27. 穷 qióng（形）

   poor

28. 孙子 sūnzi（名）

   grandson

29. 高中 gāozhōng（名）

   senior middle school

30. 麦子 màizi（名）

   wheat

31. 包 bāo（动）

   to contract for, to assume full responsibility for（a job）

   ○ 他把这件工作包给老王了。

   He has contracted this job to Lao Wang.

32. 一定 yídìng（形、副）

   definite; definitely

   ○ 农业生产和气候有一定的关系。

   There is a definite connection between agriculture and climate.

   ○ 今天晚上一定有雨。

   It will definitely rain this evening.

33. 数量 shùliàng（名）

   amount, quantity

34. 其余 qíyu（名）

   the others, the rest

   ○ 这个班只有八个男生，其余的都是女生。

   There are only eight boys in this class; the rest are all girls.

35. 归 guī（动）

   to turn over to, to belong to

   ○ 这个工作归谁管？

   Who is in charge of this work?

7

36. 干劲 gànjìngr（名）

      vigor，enthusiasm

37. 端 duān（动）

      to hold something in both hands

    ○ 端着一锅汤

      holding a pot of soup

    ○ 端进两杯茶来

      bring in two cups of tea

38. 西瓜 xīguā（名）

      watermelon

39. 尝 cháng（动）

      to taste，to try the flavour of

40. 蔬菜 shūcài（名）

      vegetables

41. 大棚 dàpéng（名）

      large shed（used to protect the vegetable in winter）

42. 经营 jīngyíng（动）

      to manage

43. 企业 qǐyè（名）

      enterprise，business

    ○ 乡镇企业

      enterprises in villages or small towns

44. 电风扇 diànfēngshàn（名）

      electric fan

45. 养活 yǎnghuó（动）

      to support，to provide for

46. 晒 shài（动、形）

      to shine upon；be exposed to the sun

    ○ 晒太阳

      to bask in the sun

    ○ 这儿太晒了吧。

      There is too much sun here.

47. 证明 zhèngmíng（动、名）

      to prove，to certify；proof，certificate

    ○ 事实证明他是对的。

It has been proved that he was right.

○ 学校给他出了一个成绩证明。

The school issued him a transcript.

专　名

1. 河北　　Héběi　　　Hebei Province
2. 王大叔　Wáng dàshū　Uncle Wang
3. 王铁牛　Wáng Tiěniú　（Uncle Wang's son）
4. 史密斯　Shǐmìsi　　　Smith
5. 河南　　Hénán　　　Henan Province

语言点和练习

一、都　already

例句：

1. 都十点了，你怎么还没起床？

   It's ten o'clock already. Why haven't you got up?

2. 故宫我都去过两次了，这次不去了。

   I've been to the Palace Museum twice already, so I'm not going.

3. 王大叔都那么大年纪了，还天天干活呢。

   Uncle Wang is very old, but he still works every day.

4. 火车都快开了，快上车吧！

   The train is about to leave. Get on board quickly.

解释：

"都"，副词，在这里有"已经"的意思，句末常带"了"，构成"都……了"的格式，强调"已经（是）"，如例句 1、2、3。有时"都"强调迫近，如例句 4。

9

练习:

1. 用"都……了"或"都要……了"改写句子:

(1) 已经五点多了,爸爸该回来了吧?

(2) 电影就要开演了,你赶快去吧!

(3) 他已经三十五岁了,怎么还没结婚?

2. 用"都……了"这个句式完成下列对话:

(1) A: 王大叔在这个村子住了多少年了?

B:

(2) 现在几点了,咱们该上课去了吧?

B:

(3) 王大叔的孙子有多大了?

B:

(4) 铁牛种的西瓜熟了吗?

B:

二、一一 everyone,one by one

例句:

1. 王先生进来和大家一一握手。

Mr. Wang came in and shook hands with everyone.

2. 对学生提的问题刘老师一一进行讲解。

Teacher Liu explained the questions asked by the students one by one.

3. 领导把新来的几位同志向大家一一作了介绍。

The director introduced the new comers to everyone.

4. 邮递员每天把信一一送到各家。

The mailman delivers the mail to each family every day.

解释:

"一一"是"一个一个地"的意思,只能修饰动词性成分,表示动作有次序地逐个地施于每个对象。

练习:

1. 用"一一"和指定的词完成句子:

(1) 李村长把王大叔家的几口人_____。(介绍)

(2) 老师提了五个问题,_____。(回答)

10

（3）他把试验失败的原因＿＿＿＿＿＿＿＿＿＿＿＿＿。（记录）

2．用"一一"改写下列句子：

（1）导游把纪念碑上的浮雕一个个地介绍了一遍。

（2）同学们的问题很多，老师一个一个地都回答了。

（3）来了几位客人，他和客人们都握了手。

（4）对大家提出来的问题，张先生都进行了解释。

三、几乎   almost

例句：

1．这个村的农民几乎家家都养鸡。

Almost all the farmers in this village raise chickens.

2．她急得几乎哭了起来。

She was so anxious that she almost started to cry.

3．走这条路比走那条几乎远一倍。

This road is almost twice as long as that one.

4．这个班几乎三分之一是日本学生。

Almost one third of the students in this class are Japanese.

解释：

"几乎"是副词，表示非常接近，差不多。可放在名词前（如例句1）、动词前（如例句2）和形容词前（如例句3），有时还可直接放在数词前（如例句4）。

练习：

1．模仿练习

（1）几乎＋动词

声音太小，几乎听不见。

（2）几乎＋数词

这个代表团几乎三分之一的人懂英语。

（3）几乎＋形容词

妈妈的头发几乎全白了。

（4）几乎＋名词

几乎每个学生都说张老师讲得好。

2．用带"几乎"的句子回答下列问题：

(1) 你爸爸离开你们十年了吧？这次回来你还认识他吗？

(2) 听说中国的中学生大部分都学英语，是吗？

(3) 那个电影演了几个小时？很长吧？

(4) 你今天忙什么呢？怎么才回家吃饭？是不是忘了？

四、加上 plus

例句：

1. 这个代表团有十二名代表，加上两个翻译，一共十四个人。

This delegation includes 12 delegates, plus two interpreters, so there are 14 people altogether.

2. 张大叔家去年养鸡收入五千元，加上卖菜的钱，共收入一万多元。

Last year, Uncle Zhang's family earned five thousand yuan from raising chickens. Adding to the money they earned from selling vegetables, their income totaled more than 10 thousand yuan.

3. 现在农民的干劲都很高，加上科学种田，农业年年丰收。

Now that the peasants are full of enthusiasm, and in addition, are using scientific farming methods, they have had bumper harvests for a number of years in a row.

4. 清朝后期政治腐败，加上帝国主义侵略，中国非常贫穷落后。

By the end of the Qing Dynasty, China had a corrupt and incompetent government, and adding that to the imperialists' aggression, was very poor and backward.

解释：

"加上"作动词用，意思是：把原来没计算在内的增加进去。句子后半部分说明产生的结果。

练习：

1. 用"加上"连成句子：

(1) 那时候政策上有点问题 三年自然灾害 农业损失比较大

(2) 那里土地肥沃 交通方便 经济很繁荣

(3) 大陆上有二十二个省 台湾 中国共有二十三个省

(4) 我们班来了十六个人 一位老师 共有十七个人

2. 用带"加上"的句子回答问题：

(1) 南宋时中国的经济中心为什么由北方移到了南方?

(2) 上次去中国旅行, 你参观了几个城市?

(3) 你家有几口人?

五、算 to be considered，to count as

例句:

1. 在我们班里, 他算年龄最小的一个。

   In our class，he is the youngest.

2. 他刚六十五岁, 还不算老。

   He is only 65，he can't be considered old yet.

3. 他的学习不太好, 不过也算 (是) 毕业了。

   He didn't study well，but graduated from school somehow.

4. 这个村的西瓜要算 (是) 王大叔家种得最好了。

   Of all the watermelons in this village，those produced by Uncle Wang were considered the best.

解释:

"算" 的基本意思是 "计算", 如 "你算一算, 二加二是几?"。这里的意思是 "可以被认为" "可以被看作"。后面可带 "是"。否定式是 "不算"。

练习:

1. 用 "算" 完成会话:

   (1) A: 他是你们班学习最好的学生吗?

       B:

   (2) A: 他都七十岁了, 身体怎么样?

       B:

   (3) A: 这个拖拉机厂是全国最大的一个吗?

       B:

   (4) A: 这个问题难不难?

       B:

2. 用 "不算" 完成下列句子:

   (1) _____，才六十一岁。

   (2) _____，小刘比他画得好多了。

(3) 这里的土地肥沃，去年平均每亩小麦产量是一千二百斤，今年是每亩一千斤，＿＿＿＿＿＿＿＿＿＿＿＿＿＿＿＿＿＿＿＿＿＿。

(4) ＿＿＿＿＿＿＿＿＿＿＿＿＿＿＿＿＿＿＿＿，北京的一月才最冷呢。

六、（穷）得很 ... very（poor）

例句：

1. 解放前农民生活苦得很。

Before the liberation, farmers were very poor.

2. 今天的风大得很。

Today is very windy.

3. 那里的夏天凉快得很。

The summer over there is quite cool.

4. 这个汉字难写得很。

This character is very hard to write.

解释：

形容词或某些动词性结构后边加上"得很"，表示程度高。

练习：

1. 用"……得很"完成下列句子：
   (1) 这本小说＿＿＿＿＿＿＿＿＿＿＿＿＿＿＿＿＿＿＿。
   (2) 那里的夏天＿＿＿＿＿＿＿＿＿＿＿＿＿＿＿＿＿。
   (3) 从北京到纽约＿＿＿＿＿＿＿＿＿＿＿＿＿＿＿＿。
2. 用"得很"和下面指定的词语造句：
   (1) 难吃
   (2) 头疼
   (3) 好写
   (4) 容易

七、这样一来 consequently

例句：

1. 这条路本来就不好走，又下了几天大雨，这样一来，就更难走了。

This road was bad in the first place, but after several days of rain, it's even harder to walk on now.

2. 明朝末年政治腐败，加上土地高度集中，这样一来，农民起义就爆发了。

At the end of the Ming Dynasty the government was corrupt and the land was divided among the few. Consequently, a peasants' uprising errupted.

3. 我汉语基础不太好，上月又病了一个星期，这样一来，学习上困难更大了。

My Chinese is not very good to begin with, and I was sick for a week last month. Consequently, my studies suffered a great deal.

4. 这个地方地少人多，原来很穷，这几年搞起了乡镇企业，这样一来，农民富起来了。

In this place the population was high, the land scarce, and the people were very poor. In recent years, however, farmers have started small town enterprises, and have become rich.

解释：

"这样一来"在句中复指上述情况的发生。作用相当于一个连词，表示因果关系。

练习：

1. 用"这样一来"完成下列句子：

(1) 东南沿海土地肥沃，又发展了海上交通，_____。

(2) 他家很穷，今年爸爸又生了病，_____。

(3) 老张身体本来就不好，最近喝酒又太多，_____。

(4) 我本来说今天晚上和你一起去看电影，想不到来了一位客人，

_____。

2. 完成下列句子：

(1) _____，这样一来，我只好明天走了。

(2) _____，这样一来，农民的生活就好起来了。

(3) _____，这样一来，明朝就灭亡了。

八、边……边…… while

例句:

1. 小王边走边唱。
   Xiao Wang is singing as he walks.
2. 妹妹边哭边说。
   The younger sister is speaking while she cries.
3. 弟弟一边听音乐,一边做练习。
   The younger brother was listening to music while doing his homework.
4. 你一边说,我一边记。
   I'll write it down while you talk.

解释:

"边……边……"分别用在两个动词前面,表示两个动作同时进行。有时也用"一边……一边……"(或"一面……一面……")表示。但二者有一些区别:

① "边……边……"常常连接两个单个动词,如"边走边谈"、"边学习边工作"。"一边……一边……"既可连接单个动词,也可连接复杂词组或句子,如例句3。

② "边……边……"所连接的主体必须是一个,如例句1、2。"一边……一边……"所连接的主体可以是一个,如例句3,也可以是两个,如例句4。

③ "一边……一边……"常读成"一边儿……一边儿……",而"边……边……"读音不能儿化。

练习:

1. 用指定的词语造句:
   (1) 边写边念
   (2) 边唱边跳
   (3) 一边看书,一边查字典
   (4) 一边听音乐,一边给妈妈写信

2. 判别下列句子正误,并把错误句子改过来:
   (1) 我边讲故事,他边洗衣服。
   (2) 我一边和姐姐说话,一边看画报。
   (3) 这课的练习很难,我边做边想,做了两个小时。

16

（4）他们俩边往教室走，边讨论问题。
（5）弟弟边上学边工作。
（6）老师边讲课，学生边写信、看报。
（7）爸爸一边听收音机，妈妈一边想问题。

听力练习

（听录音，听力问题见本书附录）

回答问题

1. 王大叔为什么要从河南逃到河北来？
2. 王大叔家里有几口人？都是谁？
3. 谈谈王大叔家里的生活情况。
4. 史密斯先生到王大叔家来做什么？
5. 王大叔家里种了几亩地？种的是什么？
6. 现在中国农民的干劲很高，为什么？
7. 王铁牛为什么没能上完小学？
8. 王大叔的孙子多大了？他到县里做什么去了？
9. 中国的耕地有多少亩？养活了多少人？
10. 请你谈谈中国农村的变化。

翻译练习

（英译汉，答案见本书附录）

1. the courtyard of my house
2. a building of two or more stories
3. "Sorry for having disturbed you!"
   "Not at all, don't worry about it."

4. the flood of last year

5. to build a three-story house

6. in the cool evenings

7. Please do as you wish.

8. the money I earned from selling produce

9. to rent a car

10. grain grower

11. almost could not graduate

12. suffer heavy losses

13. to build a new tractor factory

14. three consecutive years of natural disaster

15. having a sharp tongue

16. to contract the construction of this hotel

17. to make production prosperous

18. to promote a diversified economy

19. The third grade students learned a lot of new terms.

20. At that time farmers' lives were very hard.

21. the ownership of this piece of arable land

22. the agricultural technology service station in the village

23. the wheat we planted last year

24. Which village overfulfilled its production target for three successive years?

25. to raise the quantity of the wheat production

26. the average amount of personal possession

27. to contract out one's land to be cultivated by other families

28. to have contracted 10 *mu* land from the government

29. a definite amount of produce

30. the social and economic conditions in rural China

31. a man who is full of vigor

32. to learn about the agricultural technology

33. to support one's children

34. Uncle Wang is almost 80 years old, but he still helps tilt the land.

35. They have to sell part of their newly harvested grain to the government.

36. He has checked and repaired all the tractors in this village one by one.

37. This agricultural technology service station often invites professors from universities to come and give talks.

38. Since he started using a scientific method to plant watermelon, the number of melons he harvested has doubled

39. The two of them run almost as fast as each other.

40. Now that farmers have their own arable land, plus the help from the agricultural technology service station, their standard of living is much higher than before.

41. Because of the fertile soil of the fields, plus the farmers' diligent work, this production team has overfulfilled its production target year after year.

42. He is considered the best student in our class.

43. It's rather hot this afternoon. I hope it will rain soon.

44. In recent years, the farmers' livelihood has been very stable.

45. So far as the content goes, this book is worth reading.

46. So far as his health is concerned, he can definitely work another eight to 10 years.

47. The Wang family saved enough money to buy a new tractor. As a result their grain production increased dramatically.

48. In order to visit all of China's scenic spots, one certainly needs a great deal of time.

49. There's too much sun here. Let's go inside to rest.

50. The workers in this factory work and learn at the same time. Their skills improve day by day.

第 2 课

史密斯先生看到的中国工业(日记六篇)

史密斯先生看到的中国工业

（日记六篇）

6月2日

今天下午访问了北京大学的一位经济学教授张先生，他向我介绍了半个世纪以来中国工业发展的情况。他说，1949年以前，中国的工业极其落后，重工业少得可怜，实际上只有一些采矿业和修配业。许多轻工业产品也都是从外国进口的，所以很多工业品的名字都带有"洋"字。比如，管火柴叫"洋火"，就是一个例子。那时候的工厂不仅数量少，规模小，而且技术落后，有的只能算是手工业工厂。只有沿海几座大城市有一些规模较大的民族工业。这些工业在半殖民地半封建社会中很难得到发展。到了1949年，工业落后问题已经非常严重了。

中华人民共和国成立后，情况发生了很大的变化。从五十年代开始，不只在沿海，而且在内地都兴建了不少大型的现代化工矿企业，各地还建立了许多中小型企业，特别是从八十年代改革开放以来，机器制造业、电子工业、国防工业等都有了飞速的发展。现在中国的钢产量早已超过一亿吨，炼油能力也超过了两亿吨，煤和机床的产量也在成倍地增长。

张先生介绍的这些情况对我全面了解中国的工业有很大的帮助。

6月7日

早饭后，参观了在北京举办的全国十省市轻工业品展销会。展销会上展品丰富，电脑、彩电、电冰箱、洗衣机等都吸引了不少观众，照相机、手表、自行车的品种很多，尤其是服装，花色样式多极了，吸引了很多观众。五十年代

22

我到中国来的时候，无论男女老少都穿着蓝色或灰色的服装，非常单调，这都是中国八十年代改革开放以前的情况了。这次在中国看到的已经完全不是那个样子了。

回宾馆后，我和一位中国服务员谈了起来，我说："过去听说中国只重视重工业，轻工业的问题比较大，今天我看了一个展销会，轻工业品还不少嘛！"他解释说，八十年代改革开放以前，中国的经济比例失调很严重。那时候，重工业腿长，轻工业腿短，影响了整个经济的发展速度。现在经过调整，情况已经大大好转，不过还远远不能满足人民的需要。最后，他还说："中国有十二亿人口，市场大得很哪！"

6 月 14 日

从前西方一些专家曾经说，中国地下没有石油。可是在五十年代，中国人就找到了大油田，早在 1963 年就实现了石油自给。今天我参观了东北地区的大庆油田。大庆油田规模很大，技术也很现代化。工人们干劲可大了。他们告诉我，现在山东和河北也都有规模很大的油田，还有一些地区也发现了大油田，而且石油质量都很好。怪不得现在中国能出口那么多石油。

6 月 20 日

昨天到复旦大学听了两节"工业管理"课，课后和师生进行了座谈。看来，这些老师和学生对中国实现工业现代化的愿望十分强烈。当然，他们也看到了困难。一位学生说："我们的目标是五十年以后达到中等发达国家的生产水平，我相信这个目标是一定能够达到的。"又有一位学生说："过去我们的科研成果只是在实验室里，今后还要为增加工业新产品而努力。"一位老教授说："我们面前的困难还不少，就管理和技术水平来讲，也还远远比不上世界先进国家。"我说："中国六十年代就成功地爆炸了原子弹和氢弹，可见中国还是有一定的科学技术水平和工业基础的，虽然现在还有不少困难，但是我相信你们是一定能够达到这个目标的。"

座谈会开得十分热烈，给我留下了很深的印象。

6月29日

火车从陕西进入四川，一路都是高山深谷，真险啊！坐在我对面的一位旅客说："中国唐代大诗人李白说过：'蜀道之难，难于上青天。'这里就是蜀道。"我说："自古以来四川和外界交通就很困难，现在通了火车，实在不容易啊！"这位旅客说："现在到云南、贵州都有火车可坐了，不久以后，连西藏都要通火车了。长江中下游解放前连一座桥都没有，火车过江得靠轮渡，一次要一两个小时，急死人。现在好了，架起了好几座铁路公路两用桥，如果和公路桥加在一起，有二三十座呢。"我说："是啊，这样一来就方便多了。我参观过南京长江大桥，十分雄伟壮观，真了不起！中国的交通问题算是解决了吧？"他说："还差得远呢。这些年交通拖了中国现代化的后腿，目前正在赶修铁路和高速公路。你看，现在除了各省都修了很多高速公路以外，还有了从北京直达香港九龙的京九铁路，从昆明到广州也有火车可坐了，变化确实很大。但是中国的国土十分辽阔，要完全解决中国的交通问题，还需要一段时间呢。"

7月2日

长江三峡的景色实在太美了！两边是高耸入云的山峰，长江从中间流过，山峰和江水曲折变化，坐在船上观赏沿途千变万化的景色，真是人生极大的享受。中国正在这里修建三峡水电站，听船上的旅客说，这个水电站到2007年全部建成以后，将是世界上容量最大的水电站，对中国的经济和社会发展将起重大的作用。这可真是一项了不起的建设。中国这些年的变化实在太大了，再有两天我就要回国了，回国后一定把在中国看到的这些变化介绍给关心中国的朋友们。

生　　词

1. **日记** rìjì（名）

    diary，journal

2. **极其** jíqí（副）

    extremely

3. **落后** luòhòu（形）

    （to be）backward，underdeveloped

4. **可怜** kělián（形）

    pathetic，pitiable

    ○ 那个女孩三岁时就死了妈妈，真可怜。

    That girl is very pitiable—her mother died when she was only three.

5. **实际上** shíjìshàng

    in fact，actually

    实际 shíjì（形、名）

    actual, practical；actuality, reality

    ○ 这种想法很实际。

    That is a very practical notion.

    ○ 你们不了解实际情况。

    You don't know the actual situation.

    ○ 理论不能脱离实际。

    Theory must not be divorced from practice.

6. **采矿** cǎikuàng

    to mine；mining

7. **修配** xiūpèi（动）

    to repair

    ○ 去年，这个乡办起了一个拖拉机修配厂。

    This town built a new tractor repair factory last year.

    ○ 那个商店专门修配自行车。

    That shop specializes in repairing bicycles.

8. **产品** chǎnpǐn（名）

    product

9. **进口** jìnkǒu（动、名）

to import; import

10. 管 A 叫 B guǎn A jiào B

to call A B

11. 火柴 huǒchái（名）

match

12. 规模 guīmó（名）

scale

13. 严重 yánzhòng（形）

grave, serious

○ 十年"文化大革命"使中国经济遭到严重的破坏。

China's economy was seriously damaged by the decade of "Cultural Revo-
lution".

14. 内地 nèidì（名）

inland areas

15. 制造 zhìzào（动）

to manufacture

16. 电子 diànzǐ（名）

electron, electronics

17. 机床 jīchuáng（名）

machine tool

18. 全面 quánmiàn（形）

overall, multifaceted

○ 年轻人要做到德、智、体全面发展。

Young people should develop all aspects of themselves: moral, intellec-
tual, and physical.

○ 史密斯先生的访华报告很全面。

Mr. Smith's report of his China visit covered all aspects.

19. 展销会 zhǎnxiāohuì（名）

exhibition where items are for sale

20. 尤其 yóuqí（副）

especially

21. 服装 fúzhuāng（名）

clothing, uniform, costume

22. 花色 huāsè（名）

design and colour（of materials）

26

23. **样式** yàngshì（名）

style，pattern

24. **吸引** xīyǐn（动）

to attract

25. **观众** guānzhòng（名）

viewer，audience

26. **无论……（都/也）** wúlùn…（dōu/yě）

no matter what，regardless of

27. **男女老少** nánnǚ-lǎoshào

men and women，young and old—all people regardless of sex or age

28. **单调** dāndiào（形）

monotonous

29. **解释** jiěshì（动、名）

to explain；explanation

○ 这个新名词应该怎么解释？

What is the meaning of that new term?

○ 这种解释是不科学的。

This explanation is not scientific.

30. **比例** bǐlì（名）

proportion，ratio

○ 在你们学校，老师和学生的比例是多少？

What is the teacher-student ratio in your school?

31. **失调** shītiáo（动）

lose balance，to be imbalanced

32. **速度** sùdu（名）

speed

33. **调整** tiáozhěng（动、名）

to adjust；adjustment

○ 这几个班的学生有多有少，得调整调整。

The numbers of students in these classes are different, some big and some small, so we'd better make some adjustments.

○ 调整价格

adjust prices

34. **好转** hǎozhuǎn（动、名）

to change for the better; improvement

○ 这家工厂去年的生产经营情况不好，今年有没有好转？

Last year the management and production of this factory did not run smoothly. Has there been any improvement this year?

35. 满足 mǎnzú（动、形）

to satisfy; be satisfied

○ 目前，北京的鲜奶供应已经满足了市场需要。

The milk supply in Beijing can meet the needs of the present market.

36. 需要 xūyào（名、动）

need; to need to

○ 他到西安去是工作的需要。

He is going to Xi'an because his work is needed there.

○ 西瓜的生长需要充足的阳光。

A lot of sunshine is needed to grow watermelons.

37. 市场 shìchǎng（名）

market

38. 专家 zhuānjiā（名）

specialist, expert

39. 油田 yóutián（名）

oilfield

40. 自给 zìjǐ（动）

to be self-sufficient

○ 有一些发展中国家粮食还不能自给。

Some developing countries are still not self-sufficient in food production.

41. 质量 zhìliàng（名）

quality

42. 怪不得 guàibude（副）

no wonder

43. 出口 chūkǒu（动、名）

to export; export

44. 目标 mùbiāo（名）

target, aim

45. 水平 shuǐpíng（名）

standard, level

46. 就……来讲 jiù…láijiǎng

as far as... is concerned

47. 爆炸　bàozhà（动）

　　　to explode, to detonate

48. 原子弹　yuánzǐdàn（名）

　　　atomic bomb

49. 氢弹　qīngdàn（名）

　　　hydrogen bomb

50. 谷　gǔ（名）

　　　valley

51. 险　xiǎn（形）

　　　dangerous, precipitous

52. 蜀道之难，　Shǔdào zhī nán

　　难于上青天　nányú shàng qīngtiān

　　　Hard is the way to Sichuan——harder than mounting the
　　　(blue) Heaven

53. 实在　shízài（副）

　　　truly, really

54. 桥　qiáo（名）

　　　bridge

55. 轮渡　lúndù（名）

　　　ferry

56. 架　jià（动、量、名）

　　　to build (bridge); (measure word for machines); rack

　○ 架桥

　　　to build a bridge

　○ 这个乡去年新买了一架农用飞机。

　　　The village bought a new plane for agriculture last year.

　○ 支架

　　　rack

　○ 书架

　　　shelf

57. 铁路　tiělù（名）

　　　railway

58. 公路　gōnglù（名）

　　　highway

59. 差得远 chàdeyuǎn

        to fall short by far

   差 chà（动、形）

     to fall short of, to lack; inferior, poor

  ○ 他的中文太好了，和他相比，我还差得远呢！

    His Chinese is wonderful; mine is nowhere near as good as his.

  ○ 那位小学老师身体很差。

    That primary school teacher is in very poor health.

60. 拖……后腿 tuō…hòutuǐ（动宾）

           to hold... back

61. 高速公路 gāosù gōnglù（名）

      express way, super highway

62. 国土 guótǔ（名）

     land, territory

63. 高耸入云 gāosǒngrùyún

      to reach to the sky, to tower into the clouds

64. 山峰 shānfēng（名）

    mountain peak

65. 观赏 guānshǎng（动）

    to view and admire, to enjoy the sight of

66. 千变万化 qiānbiànwànhuà

     ever changing

67. 沿途 yántú（名）

    on the way

68. 人生 rénshēng（名）

    life

69. 享受 xiǎngshòu（名、动）

    enjoyment; to enjoy

70. 水电站 shiǔdiànzhàn（名）

    hydroelectric station

71. 容量 róngliàng（名）

    capacity

专 名

1. 大庆油田	Dàqìng Yóutián	Daqing Oilfields
2. 陕西	Shǎnxī	Shanxi Province
3. 蜀	Shǔ	(abbr. for) Sichuan Province
4. 云南	Yúnnán	Yunnan Province
5. 贵州	Guìzhōu	Guizhou Province
6. 西藏	Xīzàng	Xizang (Tibet) Autonomous Region
7. 香港	Xiānggǎng	Hong Kong
8. 九龙	Jiǔlóng	Kowloon

语言点和练习

一、实际上 in fact, in reality, actually

例句:

1. 这些花儿看起来像真的一样，实际上是纸做的。

    These flowers look like real ones, but they are actually made of paper.

2. 他的样子像北方人，实际上他是南方人。

    He looks like a northerner, but actually he's a southerner.

3. 这个工厂去年计划生产拖拉机两千五百台，可实际上只生产了两千四百台。

    This factory planned to put out 2,500 tractors last year, but actually only 2,400 were produced.

解释:

"实际上"意思是"根据实际情况来说"，一般作状语，可放在动词前或主语前。"实际上……"常用来更正或补充上文。

31

练习：

1. 用"实际上"改写下列句子：

    (1) 这段长城是明朝重新修建的，并不是秦始皇时修的。

    (2) 天气预报说今天有大雨，可是今天天气很好。

    (3) 他说天安门离这里四十里，哪有那么远，只有二十五里。

    (4) 他并没有来过中国，你怎么说他参观过故宫呢？

    (5) 他已经四十多岁了，不过长得很年轻。

2. 用"实际上"完成下列会话：

    (1) A：他的北京话说得很好，他是北京人吗？

        B：

    (2) A：有人说中国人口已经达到了十二亿。

        B：

    (3) A：从前西方一些专家认为中国地下没有石油。

        B：

    (4) A：他真的有那么忙吗？

        B：

二、管……叫……　to name

例句：

1. 在中国，孩子们管老人叫爷爷或奶奶。

    In China, children address elderly people as "Grandpa" or "Grandma".

2. 李明如个子很高，大家管他叫"大李"。

    Li Mingru is very tall, so people call him "Da Li".

解释：

"管"在这里作介词，常和"叫""叫做"连用，意思相当于"把……叫（做）……"，表示对人或事物的称谓。

练习：

1. 用"管……叫"及指定词语造句：

    (1) 从陕西到四川的一段路　　　　　蜀道

    (2) 蒙族、藏族、维吾尔族等　　　　少数民族

    (3) 铁牛的父亲　　　　　　　　　　王大叔

（4）没结婚的女子　　　　　　　　小姐

（5）一个县的最高行政领导　　　　县长

三、尤其　especially

例句：

1. 解放前中国工业十分落后，内地的工业尤其落后。

Before liberation, China's industry was very backward, especially in the inland areas.

2. 学习汉语要重视语音和语法，尤其要重视语音。

When studying Chinese, one must pay attention to both pronunciation and grammar—especially pronunciation.

3. 大家进步都很大，尤其是赵大勇进步更快。

Everyone has made great progress—Zhao Dayong's progress has been particularly rapid.

4. 同学们考得都不错，尤其是李华。

The students all did well in the exam, especially Li Hua.

解释：

"尤其"表示在几种事物中，有一种比其余的更为突出，一般用在句子后一部分。"尤其"有时也说"尤其是"，如例句3、4。

练习：

1. 用"尤其"完成下列句子：

（1）我们班同学都喜欢足球，＿＿＿＿＿＿＿＿＿＿＿＿＿＿＿＿。

（2）日本同学和美国同学都要练习汉字，＿＿＿＿＿＿＿＿＿＿。

（3）姐妹两个都很漂亮，＿＿＿＿＿＿＿＿＿＿＿＿＿＿＿＿。

（4）他的法语说得不错，德语＿＿＿＿＿＿＿＿＿＿＿＿＿＿＿。

（5）展销会上的轻工业产品吸引了很多观众，＿＿＿＿＿＿＿。

（6）喝酒和抽烟对身体不好，＿＿＿＿＿＿＿＿＿＿＿＿＿＿。

四、无论……都（也）……　regardless of..., no matter what（how）

例句：

1. 无论做什么工作，他都非常努力。

He works hard at whatever he does.

2. 无论哪位同学提问题，李老师都乐意回答。

Professor Li is always willing to answer questions from any of his students.

3. 无论是工业还是农业，发展都很快。

Development has been fast in both industry and agriculture.

4. 无论是布匹还是服装，花色品种都不少。

There is a great variety of both fabrics and clothing.

5. 无论春夏秋冬，那里的天气都很好。

Whatever the season, the weather is always good there.

解释：

"无论"表示在任何条件之下都是如此，后面常有"都""也""全"等副词与之呼应。主要有两种格式：

① "无论"后有"谁""哪""什么""怎么""多少"等疑问代词。这些疑问代词不表示疑问而表示任指，如例句 1、2。

② "无论"后跟一个并列结构，并列结构之间可用连词"或者""还是"等，如例句 3、4，也可不用连词，如例 5。"无论"也作"不论"。

练习：

1. 用指定的结构完成会话：

(1) A：这两件衣服哪件漂亮？

    B：（无论这件还是那件_____都_____）

(2) A：你喜欢吃中餐还是吃西餐？

    B：（无论中餐还是西餐_____都_____）

(3) A：你们俩谁去？

    B：（无论他去或是我去都_____）

(4) A：我哪天去找你？

    B：（无论什么时候_____都_____）

(5) A：要完成这个任务有没有困难？

    B：（无论困难多大，_____也_____）

2. 用"无论"完成下列句子：

(1) _____都认识这个字。

(2) _____三天也干不完。

(3) ＿＿＿＿＿＿老师全能翻译。

(4) ＿＿＿＿＿＿都说张老师好。

(5) ＿＿＿＿＿＿也要达到目的。

五、怪不得　no wonder

例句：

1. 怪不得他的汉语那么好，原来他在中国住过三年。

   He lived for three years in China—no wonder his Chinese is so good.

2. 怪不得她没来上课，原来病了。

   No wonder she didn't come to class—she was sick.

3. 原来夜里下雪了，怪不得这么冷。

   It snowed during the night, no wonder it's so cold.

4. 你把地址写错了，怪不得我没收到你的信。

   You wrote the address down wrong, no wonder I never got your letter.

解释：

"怪不得"在这里是副词，表示明白了原因后，不再觉得奇怪了。前后常有表明原因的语句，并且常在表明原因的句子前用"原来"与"怪不得"搭配，成为"原来……怪不得……"（如例句3），或者"怪不得……原来……"（如例句1、2）的格式。

练习：

1. 用"怪不得"改写下列句子：

   (1) 他在北京工作过三年，所以对北京情况非常了解。

   (2) 这个学生话剧演得很好，因为他当过演员。

   (3) 我找了几次都没见到老赵，原来他去上海了。

   (4) 现在中国很重视轻工业，所以轻工业产品比以前多了。

2. 用"怪不得"完成会话：

   (1) A：我是坐火车来的，他是坐飞机来的。

   　　B：

   (2) A：昨天刮了一天西北风。

   　　B：

   (3) A：实行责任制以后农民手里都有了钱。

   　　B：

（4）A：建国后中国找到了好几个大油田。

　　　 B：

六、就……来（讲）　as far as... is concerned

例句：

1. 就养鸡来讲，王大妈最有经验。

As far as raising chickens is concerned, Aunt Wang is the most experienced.

2. 就西瓜产量来讲，这个村不如那个村。

When it comes to producing watermelons, this village cannot compare with that one.

3. 就英语成绩来看，这班学生并不差。

So far as English level is concerned, this class isn't bad.

4. 就诗歌来说，唐朝的成就最大。

So far as poetry is concerned, the achievements of the Tang Dynasty are the greatest.

解释：

"就"是介词，与"（来）说""（来）看""来讲"等搭配使用，构成介词短语，做状语，表示在某个方面或某一角度，多含有与别的相比较的意思。还有"就……说来""就……看来"的格式，但没有"就……讲来"的说法。

练习：

1. 用"就……来（讲）"完成句子：

（1）就气候来讲，_____。

（2）就交通方便来说，_____。

（3）就文化水平来看，_____。

（4）就粮食产量来说，_____。

（5）就王大叔家的生活情况来讲_____。

2. 用"就……来（讲）"和下面的词语造句：

（1）名胜古迹

（2）人数

（3）气候

(4) 产量

(5) 国防工业

七、可见　obviously

例句：

1. 他连中国话剧都能听懂，可见他中文水平相当高。

   He can even follow Chinese plays. Obviously his Chinese is very good.

2. 他连刘华是男的还是女的都不知道，可见他根本不认识刘华。

   He does not even know whether Liu Hua is a man or a woman—clearly, they are not acquainted.

3. 去杭州旅游的人那么多，可见杭州风景很美。

   The fact that so many tourists visit Hangzhou clearly shows that Hangzhou is very beautiful.

解释：

"可见"，连词。连接分句、句子或段落，表示后一部分是根据前边所说的事实得出的判断或结论，承接复句或段落时，也常用"由此可见"。

练习：

1. 用"可见"完成句子：

   (1) 李白诗里说"蜀道之难，难于上青天"，＿＿＿＿＿＿。

   (2) 他一小时能看四十页中文小说，＿＿＿＿＿＿。

   (3) 现在农民个人买拖拉机的很多，＿＿＿＿＿＿。

   (4) 我的朋友夜里三点钟来找我，＿＿＿＿＿＿。

2. 给下列各句配上相应的话：

   (1) A:

   　　B: 可见他没预习。

   (2) A:

   　　B: 可见他不知道我已经结婚了。

   (3) A:

   　　B: 可见中国人民的生活水平大大提高了。

八、有（火车）可（坐）　to have... to，with... to

例句:

1. 现在农村办了很多学校,农民的孩子都有学可上了。

    Now that lots of schools have been set up in the countryside, the farmers' children have schools to go to.

2. 他儿子失业后,每天在家无事可干。

    After his son lost the job, he stays at home every day with nothing to do.

3. 小明是一个无家可回的孩子,非常可怜。

    Xiao Ming is a homeless orphan. Poor child!

解释:

"有火车可坐"中的"可"是"可以"的意思。"有火车可坐"就是"有可以坐的火车"或"有火车坐"。类似格式还有"有饭可吃""有工作可做""有学可上"等。它的否定式是"无……可……"或"没……可……",如"无事可做""无路可走""无话可说""没人可派"。

练习:

1. 用指定格式完成会话:

    (1) A: 听说你们那里新修了一个公园?

        B:（有地方可玩儿）

    (2) A: 老刘的妻子死了,房子也卖了。

        B:（无家可回）

    (3) A: 她丈夫在外地工作,儿子念大学,自己每天在家干什么?

        B:（没事可做）

    (4) A: 现在四川的交通问题解决了吗?

        B:（有火车可坐）

    (5) A: 我们那里人不够,领导应该再给派几个人来。

        B:（无人可派）

2. 用指定的词语造句:

    无处可去（处:地方）   没书可看

    没人可问   没礼物可送

听力练习

(听录音，听力问题见本书附录)

回答问题

1. 举个例子说明 1949 年以前中国的工业是十分落后的。
2. 中华人民共和国成立以后，中国的工业生产发生了什么变化？
3. 谈谈史密斯先生在中国一个展销会上看到的情况。
4. 宾馆里的服务员说，中国从前"重工业腿长，轻工业腿短"，这是什么意思？
5. 中国是不是一个缺乏石油的国家？为什么？
6. 中国唐代大诗人说："蜀道之难，难于上青天。"这是什么意思？
7. 一位旅客说，中国西南方的交通"拖了中国现代化的后腿"，这句话是什么意思？
8. 近年来，中国西南方的交通情况有了哪些变化？
9. 长江三峡的景色有什么特点？
10. 史密斯为什么说中国的三峡水电站是一项了不起的建设？

翻译练习

(英译汉，答案见本书附录)

1. very attractive
2. the underdeveloped countries
3. The problem is very serious.
4. Poor child/children!
5. The scale is very large.
6. fashion show

7. imported machine tools/to import machine tools
8. production of hydrogen bombs
9. an interesting discussion
10. criticized by the audience
11. to adjust economic policies
12. to repair bicycles
13. to move to the inland areas
14. Actually there are many varieties.
15. attained satisfaction
16. The advanced help the backward.
17. Which is more convenient, the ferry or the bridge?
18. to jot Li Bai's poems down in the diary
19. He has the most backward notions.
20. When is the exhibition openning?
21. a bridge-building expert
22. the quality of the oil from the Daqing Oilfields
23. to exceed the rate of freight transportation increase
24. all-round development of the national defense industry
25. The road to Tibet is extremely perilous.
26. The electronics industry is highly advanced.
27. There is a village in the valley.
28. Last year grain exports exceeded imports.
29. crop varieties
30. to produce a man-made earth satellite
31. cannot meet the demands of the market
32. Don't hold me back!
33. The exhibition was very crowded.
34. That dress does not look good.
35. Young or old, man or woman—who doesn't like to have fun?
36. Needless to say, compared with automobile industries in the more advanced countries, that in our country is far behind.
37. As for the quality of the products, the aim is to bring it up to internationally high standards.
38. The American expert spoke to the assembled workers as he worked.
39. Is it easy to get rich in an industrial advanced country?

40. No wonder they are so full of energy!

41. Scientific management does not hinder production; on the contrary, it stimulates production.

42. Very severe losses were suffered during this war.

43. This train goes directly to Hong Kong.

44. China's transportation system is not sufficiently developed.

45. At that time, some of our policies were improper and people's initiative was affected.

46. According to Mr. Wang, the manager, workers in any workshops must not only fulfil the production quota, but also guarantee good quality.

47. Practically all the new oilfields are in the coastal areas.

48. That park has neither hills nor lakes/rivers——it really has nothing to recommend it.

49. Now many new houses are built in the country——a proof that peasants' living standard is much higher.

50. Quite a few countries now produce silks. However, they still fall behind China in design and variety.

第 3 课

史密斯先生谈
中国商业见闻

史密斯先生谈中国商业见闻

各位女士们、先生们：

我去中国访问旅行，上个月才回来，商业界的朋友们希望我谈谈中国的商业，今天我就谈一点儿自己的见闻吧！

中国从八十年代改革开放以来，实行了有中国特色的社会主义制度，取得了很大的成就，这是大家都知道的，我就不打算多说了。今天主要想介绍一下中国商业在进行重大改革以后所表现出的一些变化和中国市场出现的一些新情况。

在八十年代改革开放以前，中国只强调重工业，对轻工业和商业不够重视，商品一直供不应求。在那个时候，大家都吃"大锅饭"，工作无论干好干坏，每月的工资都一样领；商业无论赔钱赚钱，都和自己没有直接关系。总而言之，一切都由国家负责，这就影响了群众的积极性。服务性行业没人愿意干，人们买东西也越来越不方便。可以说，中国已经到了非改革不可的时候了。

针对这种情况，中国从八十年代起开始实行有中国特色的社会主义制度，正在从计划经济向市场经济过渡，没用几年的时间，中国在各方面都取得了重大的成就，商业自然也出现了巨大的变化。现在中国的商业不但有国家经营的，还有集体和私人经营的，此外，还引进外资经营商业。商业经过改革以后，最明显的变化就是群众买东西方便了，大多数人的收入也增加了。

五十年代我曾经去过北京和上海，这次我又到了这两座大城市，那里的面貌和五十年代我去的时候大不一样，已经完全是现代化的大城市了。在繁华的街道上，大汽车、小汽车一辆接着一辆，到了夜里，街道两旁商店的灯一下子亮起来，穿着各种颜色的漂亮服装的人们来来往往，非常热闹。北京的王府井大街和上海的淮海路都是最著名的繁华街道，现在都已经彻底改建，建起了许多现代化的大商厦。在五十年代，北京比较大的商店只有王府井百货大楼等两三家，现在的大商厦已经多得数也数不清了，而且都比从前的大商店规模大得多。各个商厦里买东西的人都很多，有买服装的，有买化妆品的，有买电器的，各种贵重的奢侈品都有人买，最受欢迎的是彩电、电冰箱和洗衣机。现在中国城市居民每个家庭至少有一部彩电，农村里的电视也已经开始普及，电视机的销售量每年都在迅速增加。现在电脑和汽车也成了热门商品，中国人民的生活水平确实是大大提高了。

在北京的时候，我就住在王府井大街的附近，经常去王府井看看。那里的大大小小商店一个接着一个，其中的鞋帽店、茶叶店和中药店都已经有几十年甚至一百年的历史了。有一次我去一家商店买鞋，看见一位从农村来的老人正在和售货员小姐交涉，他前几个月从那里买了一双布鞋，回去后发现穿着不大合适，要求另换一双，可是换来换去，总没有他认为满意的，最后要求退钱。这位售货员小姐始终耐心地替他挑选，向他解释，最后微笑着把钱退还给他。这位老大爷满意地走了以后，我就对这位服务员小姐说："你们现在服务真周到啊！"她笑着回答说："从前售货员都吃的是大锅饭，卖多卖少跟自己没关系。现在可不一样了，每个售货员都是商店的主人了。"

过去中国人住房只能租，不能买，房租虽然很便宜，可是居住条件一般都比较差。现在各大城市都建起了不少新住宅区，鼓励大家买房住。这些新住宅区大部分都是高层公寓楼，设备相当现代化，房间也很宽敞明亮。我的许多中国朋友都搬进了新买的房子，都很满意。房地产已经成了中国十分重要的商业投资了。

说到这里，有的朋友可能要问城市里食品供应怎么样。我告诉大家，现在中国食品供应非常充分，各大城市都有不少超级市场，我曾经去过几个，有的规模相当大，食品和日用品摆满一个个货架。每到周末，超级市场里买东西的人十分拥挤。我还参观了几个城市的农贸市场，在那里卖东西的差不多都是农民。他们卖的鸡啦鱼啦全是活的，水果、蔬菜也特别新鲜。那里还有农民自己生产的小手工艺品。我买了几个小竹筐，你们看，编得多好看哪，简直就是艺术品。哪位朋友想要，我可以赠送。不过大家都来要可不行，我没有那么多。

好了，因为时间的关系，我就谈到这里吧，谢谢大家。

生　　词

1. **商业** shāngyè（名）

　　business, commerce, trade

2. **见闻** jiànwén（名）

　　what one sees and hears

3. **……界** …jiè（名）

　　circle, boundary

○ 商业界

　　commercial circles

○ 科教界

　　scientific and educational circles

4. **开放** kāifàng（动）

　　to open; opening

5. **以来** yǐlái（助）

　　since

6. **所……的** suǒ…de（所 used before a verb plus 的 forms a nominal phrase）

○ 我所认识的人

　　the people I know

○ 大家所提的意见

　　the opinions people put forword

7. **强调** qiángdiào（动）

　　to emphasize, to stress

○ 强调科学的重要

　　to emphasize the importance of science

○ 强调石油自给

　　to put stress on self-sufficiency in oil

9. **商品** shāngpǐn（名）

　　goods, commodities

10. **供不应求** gōngbùyìngqiú

　　supply falls short of demand

○ 夏天，空调常常供不应求。

　　Air conditioners are often in short supply during the summer.

47

11. 大锅饭 dàguōfàn（名）

   a big communal pot of food

12. 赔（钱） péi（qián）（动）

   to lose money（in business）

13. 赚（钱） zhuàn（qián）（动）

   to earn money（in business）

14. 总而言之 zǒngéryánzhī

   in a word

15. 非……不可 fēi…bùkě

   must，have to

16. 针对 zhēnduì（动）

   in accordance with

17. 计划经济 jìhuàjīngjì

   planned economy

18. 市场经济 shìchǎngjīngjì

   market economy

19. 过渡 guòdù（名、动）

   transition

20. 巨大 jùdà（形）

   huge，tremendous

21. 经营 jīngyíng（动）

   to manage

22. 私人 sīrén（名）

   private，personal

23. 引进 yǐnjìn（动）

   to recommend，to introduce from elsewhere

24. 收入 shōurù（名）

   income

25. 面貌 miànmào（名）

   face，features

26. 繁华 fánhuá（形）

   busy，flourishing

   ○ 这是城里最繁华的地区。

   This is the busiest section of town.

27. 一下子 yīxiàzi（副）

suddenly, at once

28. **商厦** shāngshà（名）

   big commercial building

29. **百货大楼** bǎihuò dàlóu

   department store

30. **化妆品** huàzhuāngpǐn（名）

   cosmetics

31. **贵重** guìzhòng（形）

   expensive, valuable

32. **奢侈品** shēchìpǐn（名）

   luxury goods, luxuries

33. **彩电** cǎidiàn（名）

   colour TV

34. **销售量** xiāoshòuliàng

   sales volume

35. **热门** rèménr（形、名）

   in great demand

36. **中药** zhōngyào（名）

   traditional Chinese medicine

37. **货架** huòjià（名）

   goods shelves

38. **拥挤** yōngjǐ（形）

   crowd

39. **退** tuì（动）

   to move back, to return

   ○ 他往后退了几步。

   He stepped back a few paces.

   ○ 退钱

   to refund

   ○ 退货

   to return merchandise

40. **耐心** nàixīn（副、名）

   patient; patience

   ○ 老师耐心地帮助他

   The teacher helped him patiently.

○ 有耐心

　to be patient（in doing something）

41. 周到 zhōudào（形）

　　thoughtful

○ 服务周到

　to offer good service

○ 想得很周到

　very thoughtful

42. 住宅 zhùzhái（名）

　　residence

○ 住宅区

　residential quarters

43. 鼓励 gǔlì（动）

　　to encourage

44. 公寓 gōngyù（名）

　　apartment

45. 房地产 fángdìchǎn（名）

　　real estate

46. 投资 tóuzī（动、名）

　　to invest；investment

47. 供应 gōngyìng（动、名）

　　to provide；supply

48. 超级市场 chāojí shìchǎng

　　　supermarket

49. 农贸市场 nóngmào shìchǎng

　　　agricultural product market

50. 蔬菜 shūcài（名）

　　vegetables

51. 手工艺品 shǒugōngyìpǐn（名）

　　　handicrafts

52. 竹筐 zhúkuāng（名）

　　bamboo basket

54. 编 biān（动）

　　to weave，to compile

○ 编竹筐

to weave a bamboo basket

○ 编教材

to compile teaching material

○ 把他编在我们队里吧。

Put him in our group.

55. 简直 jiǎnzhí（副）

simply, absolutely; at all

○ 我简直不能相信这件事。

I simply couldn't believe such a thing.

○ 你去年买的这件衣服简直跟新的一样。

The shirt you bought last year is as good as new.

56. 艺术品 yìshùpǐn（名）

work of art

57. 赠送 zèngsòng（动）

to give as a present

58. 因为……的关系 yīnwèi…de guānxi

on account of..., because of...

专　名

1. 王府井大街	Wángfǔjǐng Dàjiē	Wangfujing Street
2. 淮海路	Huáihǎi Lù	Huaihai Road

语言点和练习

一、……以来　since

例句：

1. 到中国以来，他参观了不少工厂、学校。

Since he came to China, he has visited a great many of Chinese factories and schools.

2. 王大叔家承包了几亩土地以来，生活富起来了。

51

Uncle Wang's family has become rich since they contracted a few acres of land.

3. 三年以来，他学习进步很快。

He has made progress rapidly these three years.

解释：

助词"以来"用于表示某一时间的词语后表示从那时起到现在为止的这段时间。

练习：

1. 用"……以来"完成句子：

(1) _____，我去过两次长城。

(2) _____，中国修建了不少铁路。

(3) _____，有不少人买了拖拉机和汽车。

(4) _____，他学习一直非常努力。

(5) _____，参观了不少展览会。

2. 完成下面带"……以来"的句子：

(1) 史密斯先生到中国以来，_____。

(2) 他到中国学习以来，_____。

(3) 改革开放以来，_____。

(4) 到农科站学习农业科学技术以来，_____。

(5) 三年以来，_____。

二、所……的（改革）　所 + V + 的 + （N）

例句：

1. 张教授所介绍的情况对史密斯帮助很大。

The siuation presented by Prof. Zhang was a great help to Smith.

2. 古代所说的"宰相"就相当于现在的总理。

The "Prime Minister" of ancient times is equivalent to the modern "Premier".

3. 五四运动所反对的是卖国政府。

What the May Fourth Movement opposed was the government which had betrayed its country.

4. 这些问题都是职工所关心的。

The staff and workers are concerned about all of these problems.

解释：

结构助词"所"和"的"构成的"所＋及物动词＋的"的格式，是个名词性结构，常常作定语，如例句1、2；也可作主语，如例句3；或者作宾语，如例句4。作定语时，它的中心语一定是"所"后那个及物动词的受事。如"所介绍的情况"，中心语"情况"是"介绍"的受事。

练习：

1. 熟读下列词组：

    所解决的问题　　　　　　所信任的人
    所讨论的问题　　　　　　所见到的情况
    所实行的政策　　　　　　所起的作用

2. 选择练习1中的词组填空：

    (1) 现在中国政府＿＿＿＿＿＿＿＿＿＿＿＿使中国经济得到了迅速发展。

    (2) 这次会议＿＿＿＿＿＿＿＿＿＿＿＿是如何进一步增加生产。

3. 用"所吃的""所穿的""所派来的""所决定的"各造一个句子。

三、A 和 B 没关系　A has nothing to do with B

例句：

1. 现在，工厂经营得好坏和工人的收入很有关系。

    These days, the manner in which a factory is managed has an important bearing on workers' earnings.

2. 上海的工商业发达和交通便利有关系。

    Shanghai's transportation and communication facilities have been closely linked to the development of industry and commerce.

3. 这件事和我没关系，你去找经理吧。

    This matter doesn't concern me. You'd better discuss it with the manager.

解释：

"A 和 B 没关系"意思是事物之间、人与人之间或人与事物之间互相不起作用，不发生影响，没有联系。它的相反说法是"A 和 B 有关系"。

练习：

1. 用"A 和 B 没关系"或"A 和 B 有关系"改写下列句子：
  (1) 他妈妈是中国人，所以他的汉语很好。
  (2) 这个工厂生产搞不好不是因为机器太旧了。
  (3) 交通对商业影响非常大。
  (4) 那个地区农民比较穷，不是因为土地不肥沃，是因为人口太多。

2. 用"A 和 B 有关系（没关系）"完成会话：
  (1) A：到这个商店买东西的人为什么特别多？
     B：
  (2) A：宋朝为什么把都城迁到了杭州？是不是因为南方比较富？
     B：
  (3) A：他这次考得不好。
     B：

四、总而言之　in a word, in short

例句：

1. 工人、农民、知识分子，总而言之，全中国人民都在努力工作。
  Workers, peasants, intellectuals—in a word, all people throughout China are working hard.

2. 这个办法有人说好，有人说不好，有人既不说好，又不说不好，总而言之，每人都有自己的看法。
  Some people speak well of this method; some speak poorly of it; some are indifferent. In short, each person has his own point of view.

3. 她是哪个民族的，我记不清了，总而言之是少数民族，不是汉族。
  I don't remember which nationality she is. In any case, I know she is of a minority, not Han nationality.

解释：

"总而言之"的意思就是"总括起来说"，在句子中起承上启下的作用。它所引起的下文常常是对上文内容的概括或简单结论。"总而言之"的意思、用法和连词"总之"相同。

练习：
1. 完成下列对话：
   (1) A: 小王住在哪儿？
       B: _____，总而言之，在北京大学附近。
   (2) A: 他们那个旅游团什么时候去中国？
       B: _____，总而言之是这个月。
   (3) A: 他爸爸研究宋史还是研究明史？
       B: _____，总而言之是研究中国古代史的。
   (4) A: 中国的交通不太方便吧？
       B: _____，总而言之，比过去好多了。

2. 用"总而言之"完成下列句子：
   (1) 岳飞可能是北宋人，也可能是南宋人，_____。
   (2) 十号左右在广州开一个重要的会，我们坐飞机去可以，坐火车去也可以，_____。
   (3) 我忘了康熙皇帝做了哪些事，_____。
   (4) 现在理发馆、商店、饭馆比过去增加了不少，_____。

五、非……不可（不行）   cannot..., without...

例句：
1. 这件事非得他不行，别人干不了。

   He is the only one who can handle this job. No one else can do it.

2. 别人都说汉语很难学，我非学好不可。

   Everybody says that Chinese is difficult to learn, but still I must learn it well.

3. 我不想参加那个会，他非让我参加不可。

   I don't want to go to that meeting, but he insists that I go.

解释：
"非……不可（不行）"的意思是"一定要这样"。它表示：
①必然性、必要性，如例句 1。②坚强的决心或意愿，如例句 2、3。
"非……不可（不行）"也说成"非……"、"非得（děi）……"、"非得

55

(děi) ……不可（不行）" 等。

练习：

1. 用"非……不可"完成下列句子：
    (1) 他不让我说，_____。
    (2) 经济中比例失调的现象_____。
    (3) 从中国到美国坐船太慢了，_____。
    (4) 你为什么要管我，_____。
2. 用"非……不可"等格式改写下列句子。
    (1) 我要是有钱，一定每年出国旅行一次。
    (2) 想把商店办好，职工们不努力干不行。
    (3) 要了解农村情况，一定要到农村去亲眼看看。
    (4) 她爸爸不同意她和李大友结婚，可是她一定要嫁给他。
    (5) 想学好中文，最少需要两三年。

六、针对 to aim at，to be directed against

例句：

1. 他这句话针对谁大家都明白。

   Eveyone knows very well at whom his comments are aimed.

2. 针对这种情况，制定了一些新政策。

   In view of this situation，they formulated new policy.

3. 针对大家的意见，干部们研究了一些改进办法。

   The cadres studies some ways of improvement in accordance with everyone's opinion.

4. 杜甫的不少诗歌是针对唐代社会情况写的。

   Many of Du Fu's poems were aimed at the social situations of the Tang period.

解释：

"针对"，动词，意思是"对准"，在句子中可以作谓语，如例句1。但多数情况下，"针对"同别的词语构成动宾词组，作状语，修饰句子中的谓语，如例句2、3、4。

练习：

1. 用"针对"及指定词语完成会话：

56

(1) A：责任制是针对什么的？

　　B：_____。（大锅饭）

(2) A：今天的语法课老师讲了些什么？

　　B：_____。（同学们练习中的错误）

(3) A：顾客说我们饭馆的饭是凉的，啤酒是热的。

　　B：_____。（你们的服务质量）

2. 用"针对"完成下列句子：

(1) 鲁迅对当时的社会不满意，他_____。

(2) _____，老师一一进行了解释。

(3) 他说这话是_____。

(4) _____，办了许多集体或个体饭馆。

(5) _____，制定了用票证平均分配的办法。

(6) _____，史密斯先生讲了在中国的见闻。

七、一下子　**immediately；in a short while**

例句：

1. 我记住生词以后，课文一下子就全懂了。

After I memorized the new words, I understood the text immediately.

2. 刚才他还挺好，怎么一下子就病了。

He was well a while ago; how did he fall ill so suddenly?

3. 王先生很喜欢这种运动鞋，一下子就买了两双。

Mr. Wang liked the sport shoes very much, so he bought two pairs at once.

4. 我们这是是山区，过去交通困难，这两年一下子修了三条公路。

Our region is very mountainous. In the past, transportation was difficult. However, in just the past two years we have bulit three highways.

解释：

本课的"一下子"是副词，在句中作状语，表示某种动作进行、完成得迅速，或某种现象出现得突然。后面常有"就"与它呼应。

练习：

1. 用"一下子"及指定的词语完成下列句子：

(1) 刚才天还好好的，_____。（大雨）

(2) 他说错了，同学们一笑，_____。（脸红）

(3) 我们的生产去年_____。（翻了两番）

(4) 那个商店来了一车苹果，_____。（卖完）

(5) 小李聪明极了，我一说，_____。（明白）

(6) 我今天特别饿，_____。（三个面包）

(7) 我好像在哪儿见过他，可是_____。（名字）

(8) 这里的问题相当多，非解决不可，但_____。（全都）

2. 用"一下子……就……"造句：

八、鸡啦鱼啦

例句：

1. 电视机啦、手表啦，这个百货商店都有。

Televisions, watches, this department store has them all.

2. 机器制造啦，电子工业啦，国防工业啦，都建立起来了。

The manufacturing industry, electronic industry and civil defense industry, all are established.

3. 这里买东西啦，理发啦，修理啦，都很方便。

Going shopping, getting a haircut, and having something repaired, all can be done very conveniently here.

解释：

"……啦……啦"的意思就是"等等"，表示列举。列举的事物可以是两项，也可以是两项以上。"……啦……啦"后还可以带"等""等等"。

练习：

1. 用"……啦……啦"和指定的词语造句：

(1) 苹果　梨

(2) 看电影　看电视

(3) 杭州　桂林　西安

(4) 服装　布匹
　　(5) 跳舞　唱歌　画画儿
　2．用"……啦……啦"格式的句子回答问题：
　　(1) 你们学校有少数民族的学生吗？
　　(2) 展销会上展品多不多？
　　(3) 他的篮球打得不错吧？
　　(4) 你们班哪几位同学学习好？

九、因为……的关系　because (of)...

例句：

1．因为工作的关系，他离开妻子去外国了。

Because of his job, he left his wife and went abroad.

2．游览故宫以后，因为时间的关系，我们没能去天安门照相，就回学校了。

Due to the time after visiting the Palace Museum, we didn't go to Tian'anmen to take pictures and went back to school instead.

3．那里长寿的老人多，是因为海滨空气新鲜的关系。

Many people there live to an old age on account of the fresh seaside air.

解释：

"因为……的关系"意思是"因为某种原因"中间部分常常是名词性结构。

练习：

1．用"因为……的关系"完成句子：
　　(1) _____，我们明天不去长城了。
　　(2) _____，他半个多月没上课了。
　　(3) _____，我就讲到这儿吧！
　　(4) _____，张华常到上海去。
　　(5) _____，西瓜很快就卖完了。
　　(6) _____，人们都愿意到那儿去买东西。
2．用"因为……的关系"造句。

（听录音，听力问题见本书附录）

回答问题

1. 中国在八十年代改革开放以前，人们买东西为什么不方便？
2. 八十年代实行了有中国特色的社会主义制度以后，中国的商业有了哪些变化？
3. 讲讲史密斯先生在中国大城市看到的情况。
4. 史密斯先生从哪件小事看到中国商店服务员对顾客服务很周到？
5. 谈谈中国城市里食品供应的情况。
6. 你去过中国哪些大城市？谈谈那里商业的情况。
7. 在中国城市里热门商品是什么？
8. 史密斯先生在北京王府井大街看到了哪些老商店？
9. 现在中国人的住房有哪些改变？
10. 中国大城市现在有没有超级市场？谈谈史密斯先生在那里看到的情况。

翻译练习

（英译汉，答案见本书附录）

1. the commercial center in Beijing
2. My father works in commercial circles.
3. the present situation of China's transportation
4. what we have just seen
5. Emphasis must be placed on the quality of products.
6. Shops' supplies fall short of demand.
7. to change one's attitude

8. to emphasize the importance of science
9. to cause enormous losses
10. to produce little effect
11. in the course of development
12. in view of this situation
13. the busiest street in town
14. the agricultural free market in Shanghai
15. modern business buildings
16. imported luxury goods
17. His level of education is relatively high.
18. to be pleased with his work
19. The department stores are filled with numerous shoppers.
20. One can tell that she is from England.
21. demand to get a refund
22. to buy fresh vegetables
23. private enterprise
24. impatient salesgirl
25. to explain something to him
26. first try out, then popularize
27. with good result
28. store manager
29. the profit is four times as high as before
30. absolutely useless
31. truly a work of art
32. This merchandise cannot be given as a gift.
33. friendly relations between the two countries
34. This department store must have the cosmetics you want.
35. It's not a bad idea to go around a bit and gain some experience and knowledge.
36. The present task is very hard and we are pressed for time. We must have both determination and confidence.
37. We'd never thought of any of the things which he had been considering.
38. In a word, any country which does not emphasize education cannot achieve modernization.
39. Farmers transported a large quantity of agricultural products into the city.

40. Relations between the two countries have shown some improvement.

41. Basketball, volleyball, football... in a word, all sorts of ballgames appeal to him.

42. We are determined to solve this difficult technical problem today.

43. One cannot expect people to get rid of their old ideas all at once.

44. We compile these teaching materials with the needs of second-year students in mind.

45. On account of the bad weather, the scheduled flight was postponed one hour.

46. Those three colleges have merged into one university.

47. This contract is not directed against any third party.

48. We've had no good weather at all this week.

49. The farmers present fresh vegetables to everyone.

50. Transportation and communication facilities are directly linked to the development of industry and commerce.

第4课

每逢佳节倍思亲

每逢佳节倍思亲

时间：中国的春节（农历正月初一）

地点：北京大学王建老师的家里

人物：王建、李华、小明

琳达、约翰、汤姆

（上午八点多钟，王建正在看报，李华正在浇花，小明一边儿看电视，

一边儿吃糖果。

琳达、约翰和汤姆按照中国的风俗习惯来给老师拜年。）

琳达：（敲门）王老师在家吗？

王建：在。（开门）哟，是你们哪！快请进！（大家进屋）

约翰：王老师，李老师，春节好！我们给你们拜年来了。

汤姆：祝您全家身体健康，生活愉快！

琳达：祝您全家万事如意！

王建：谢谢！请坐！

李华：（倒茶）请喝茶！

小明：（打开糖盒儿）请吃糖！

琳达：谢谢！

约翰：小明，昨天晚上你玩儿到几点呀？

小明：一点多。我和几个小朋友一起看电视、吃糖果，玩儿得可高兴啦！

李华：这孩子，精神可足啦！昨天夜里快两点才睡，今天早晨不到六点就起来
了。

约翰：小明，你昨天晚上看电视，有什么精彩的节目啊？

小明：好多呢！你们要是昨天晚上来就好了。

64

王建：现在咱们玩儿什么呢？这样吧，我先给你们讲讲中国人过春节的风俗习惯，好不好？

琳达：好吧！

王建：今天是农历正月初一，也就是春节。春节是中国人民的传统节日。每年快到春节的时候，到处都打扫得干干净净，有人还挂上年画，贴上春联。

约翰：您家怎么没挂年画、贴春联呢？

王建：现在城市里挂年画、贴春联的不多了，农村里还很多。除夕晚上，不管是城市，还是农村，家家户户都要吃饺子。春节这天，全家人在一起吃团圆饭，亲戚朋友互相拜年。要是家里有人在外地，也尽可能赶回来过春节。

汤姆：这么说，跟我们过圣诞节差不多了。

李华：可不是嘛！

琳达：要是在外地的人赶不回来呢？

小明：那他们就想家呗！

李华：家里人也想他们。

王建：是呀，"每逢佳节倍思亲"嘛！（喝了一口茶，又接着说）在民间，过春节还有各种庆祝活动，比如舞狮子、耍龙灯等等。

约翰：王老师，中国还有哪些传统节日啊？

王建：农历正月十五是元宵节，也叫灯节。元宵节晚上，大街小巷挂起花灯，家家户户吃元宵。

汤姆：元宵是什么样子的？好吃吗？

小明：元宵是糯米面做的，样子好像乒乓球，又白又圆，里边儿还有馅儿，是甜的，好吃极了！

王建：过元宵节除了挂花灯、吃元宵以外，还有猜灯谜。

汤姆：为什么叫灯谜？难道是把谜语写在灯上吗？

李华：从前的灯谜确实是写在灯上的，后来就不一定了。

小明：猜灯谜可有意思啦！我说两个灯谜，你们猜猜看。

琳达：好，你说吧！

小明：一加一不是二。

约翰：什么？一加一不是二，那是几呀？

小明：反正不是二，到底是什么，我就不能告诉你了。

琳达：我说是个"王"字。

汤姆：一加一明明是二嘛，怎么是"王"呢？

琳达：你看，"一＋一"，这不是个"王"字吗？

汤姆：噢，怪不得呢！

小明：还是琳达行，一下子就猜着了。我再说一个，"白白的，圆圆的，下锅一煮粘粘的，吃上一口甜甜的，正月十五有卖的。"这回谁先猜着，奖给一块巧克力。

约翰：我猜着了，是元宵。

小明：对，这块巧克力就奖给你了。

汤姆：听说还有个节，吃粽子，那是什么节呀？

王建：端午节，也叫端阳节。

汤姆：春节是正月初一，元宵节是正月十五，那端午节是哪一天呢？

王建：是五月初五。

汤姆：您给我们讲讲端午节的来历好吗？

王建：好。战国时代，楚国有一位伟大的爱国诗人，名叫屈原。当时楚国的国王腐败无能，不听屈原富国强兵的主张，反倒把他赶出了国都。楚国很快就灭亡了，屈原非常痛苦，就在五月初五这一天投江了。楚国人民听到这个消息，纷纷划船去打捞屈原。为了不让鱼虾吃他的尸体，还把糯米撒在江里。后来撒米变成了吃粽子，划船变成了赛龙船。过端午节，就是为了纪念这位伟大的爱国诗人。

李华：你再说说中秋节吧。

王建：春节、元宵节，还有端午节都是我说的，中秋节该你说了。

李华：行，我说就我说。农历八月十五是中秋节。中秋节晚上，全家人坐在一起，一边儿赏月，一边儿吃月饼。月亮和月饼都是圆的，象征着全家团圆。宋朝大诗人苏轼有一首词，头两句是"明月几时有，把酒问青天"。这首词就是写中秋节的。

琳达：李老师，您给我们讲讲这首词吧！

李华：好。（打开书，边念边讲）

琳达：这首词写得太好啦！

约翰：琳达，咱们不是还要到张老师家去拜年吗？现在该走了。

琳达：王老师，李老师，我们走了。

王建：那我就不留你们了。再有半个月就是元宵节，到时候儿，请你们来吃元宵吧！

琳达：唉，一定来！

王、李：再见。

约翰：
琳达：｝再见。
汤姆：

（琳达、约翰和汤姆离开王老师家）

生　词

1. **每逢佳节倍思亲** měi féng jiājié bèi sī qīn

   "In festive times one longs the more for home" —from a poem by Wang Wei（Tang Dynasty A. D. 618～906）

2. **浇花** jiāohuā（动宾）

   to water flowers

3. **风俗** fēngsú（名）

   customs

4. **拜年** bàinián（动）

   to pay a New Year visit，to wish one a happy New Year

5. **哟** yō（叹）

   Oh!（expressing surprise）

   ○ 哟！你怎么来了？Oh! What are you doing here?

6. **愉快** yúkuài（形）

   happy

7. **万事如意** wànshìrúyì

   Everything goes as one wishes.

8. **足** zú（形）

   full, ample

9. **早晨** zǎochén（名）

   morning

10. **精彩** jīngcǎi（形）

    brilliant，wonderful

11. **节目** jiémù（名）

    program

12. **农历** nónglì（名）

    the Chinese lunar calendar

13. **正月** zhēngyuè（名）

    the first month of the lunar year

14. **初** chū（头）

    （prefix for the first 10 days of a lunar month）

15. **传统** chuántǒng（名）

tradition; traditional

16. 打扫 dǎsǎo（动）

    to tidy up or clean up（a place）

17. 挂 guà（动）

    to hang（up）

18. 年画 niánhuà（名）

    Spring Festival pictures

19. 贴 tiē（动）

    to post（a notice, etc.）

20. 春联 chūnlián（名）

    Spring Festival couplets（two lines of poetry, posted on either side of doors and gateways, welcoming spring）

21. 除夕 chúxī（名）

    New Year's Eve

22. 家家户户 jiājiā hùhù（名）

    every household

○ 在王大叔他们村，家家户户都住上了新房

In the village where Uncle Wang lives, every family has moved into a new house.

23. 饺子 jiǎozi（名）

    Chinese dumpling

24. 亲戚 qīnqi（名）

    relatives

25. 外地 wàidì（名）

    some other part of the country

26. 尽可能 jìn kěnéng

    to do one's best, to try hard

27. 赶回来 gǎn huílái（动补）

    to hurry back

28. 圣诞节 Shèngdànjié（名）

    Christmas

29. 庆祝 qìngzhù（动）

    to celebrate

30. 舞狮子 wǔ shīzi（动宾）

    to do the Lion Dance

31. **耍龙灯** shuǎ lóngdēng（动宾）

    to do the dragon lantern dance

32. **元宵节** Yuánxiāojié（名）

    the Lantern Festival（the night of the 15th of the first lunar month）

33. **元宵** yuánxiāo（名）

    dumplings made of glutinous rice flour with sweet stuffing

34. **糯米面** nuòmǐmiàn

    glutinous rice flour

35. **馅儿** xiànr（名）

    filling, stuffing

36. **猜** cāi（动）

    to guess

    ○ 猜灯谜

    to guess riddles written on latterns

    ○ 你猜我是谁？

    Guess who I am?

37. **反正** fǎnzhèng（副）

    anyway, in any case

    ○ 我不知道他是中国人还是日本人，反正他是亚洲人。

    I don't know if he is Chinese or Japanese. In any case, he is Asian.

38. **明明** míngmíng（副）

    clearly, obviously

    ○ 今天明明是 5 月 5 日，你怎么写 5 月 6 日？

    Obviously, today is May 5. Why should you wirte May 6?

39. **还是……行** háishì... xíng

    after all, if... best

40. **锅** guō（名）

    pot

41. **煮** zhǔ（动）

    to boil

42. **粘** nián（形）

    sticky

43. **甜** tián（形）

    sweet

44. 奖 jiǎng（动、名）

    to award（prize）；award，prize

45. 巧克力 qiǎokelì（名）

    chocolate

46. 粽子 zòngzi（名）

    pyramid-shaped dumplings made of glutinous rice and wrapped in bamboo or reed leaves

47. 来历 láilì（名）

    origin，history

48. 富国强兵 fùguó-qiángbīng

    make the country prosperous and strengthen the military

49. 无能 wúnéng（形）

    incapable，impotent

50. 反倒 fǎndào（副）

    on the contrary，contrary to expectation

    ○ 这个商店实行自负盈亏后，不但不再赔钱，反倒赚钱了。

    Upon being made economically independent, this shop no longer ran at a loss, on the contrary, it started making a profit.

51. 投江 tóujiāng（动宾）

    to jump into the river（in suicide）

52. 消息 xiāoxi（名）

    news

53. 纷纷 fēnfēn（副）

    one after another

54. 划船 huáchuán（动宾）

    to row（a boat）

55. 打捞 dǎlāo（动）

    to get something out of the water，to salvage，to fish（out）

56. 虾 xiā（名）

    shrimp，prawn

57. 尸体 shītǐ（名）

    corpse

58. 撒 sǎ（动）

    to sprinkle，to spread

    ○ 天气热的时候，人们常常在地面上撒一些水。

When it's hot outside, people usually sprinkle some water on the
ground.

59. 赛龙船 sài lóngchuán （动宾）
     dragon boat race

60. 纪念 jìniàn （动、名）
     to commemorate; souvenir

61. 赏月 shǎngyuè （动宾）
     to admire the moon

62. 月饼 yuèbǐng （名）
     moon cake

63. 象征 xiàngzhēng （动、名）
     to symbolize; symbol

63. 头 — tóu-
     the first （Nu）（M） the first few times

64. 明月几时有,把酒问青天 Míngyuè jǐshí yǒu, bǎ jiǔ wèn qīngtiān
     With wine in hand, I ask the gods — when will
     the moon shine bright?

65. 唉 āi （叹）
     O. K., fine

专　名

1. 王建　Wáng Jiàn　　（name of a teacher）
2. 李华　Lǐ Huá　　（Wang Jian's wife）
3. 小明　Xiǎomíng　　（Wang Jian's son）
4. 屈原　Qū Yuán　　a great poet in ancient China （about 340 – 278 B. C.）
5. 苏轼　Sū Shì　　a great writer in the Song Dynasty （1037 – 1101）

语言点和练习

一、要是……就好了　**if only**

例句：

1. 中午饭要是饺子就好了。

   If only we were to have dumplings for lunch!

2. 新经理要是他就好了。

   Wouldn't it be great if he were the new manager!

3. 这次旅行要是能去桂林就好了。

   It would be good if we could go to Guilin this trip.

4. 这辆自行车要是你的就好了。

   If only the bicycle were yours!

5. 这电冰箱要是新的就好了。

   Wouldn't it be wonderful if the refrigerator were new!

解释：

"要是……就好了"是汉语口语里一种常用的格式。这种格式，表示说话人的良好愿望，中间可以嵌入单词、短语或小句。

练习：

1. 填空：

   (1) 盒子里要是＿＿＿＿＿＿＿＿＿＿＿＿＿＿＿＿就好了。

   (2) 这本书要是＿＿＿＿＿＿＿＿＿＿＿＿＿＿＿就好了。

   (3) 那些钱要是＿＿＿＿＿＿＿＿＿＿＿＿＿＿＿就好了。

   (4) 交通要是＿＿＿＿＿＿＿＿＿＿＿＿＿＿＿就好了。

   (5) 水果要是＿＿＿＿＿＿＿＿＿＿＿＿＿＿＿就好了。

   (6) 规模要是＿＿＿＿＿＿＿＿＿＿＿＿＿＿＿就好了。

   (7) 刚才你要是＿＿＿＿＿＿＿＿＿＿＿＿＿＿＿就好了。

   (8) 这封信要是＿＿＿＿＿＿＿＿＿＿＿＿＿＿＿就好了。

2. 用"要是……就好了"和指定词语造句：

   (1) 系主任 他   (4) 月饼 多一点

   (2) 暑假 三个月   (5) 你们 早点来

   (3) 文章内容 丰富   (6) 春节 赶回来

二、这样吧 let's do it this way

例句：

1. 甲：琳达，咱们几点到王老师家去呀？

Linda, at what time shall we go to Prof. Wang's?

乙：这样吧，你八点到我这儿来，咱们一块儿去给王老师拜年。

Let's do it this way. you come over to my place at 8:00, and we'll go together to pay Prof. Wang a New-Year's visit.

2. 甲：这么多谜语怎么猜呢？猜对了有没有奖品呢？

How can we guess so many riddles? Does one get a prize if one guesses it right?

乙：这样吧，咱们每人猜一个谜语，谁猜对了，给谁一块儿巧克力。

How about this: we each guess one riddle and whoever guesses his right gets a piece of chocolate.

3. 甲：咱们怎么去颐和园呢？

How will we get to the Summer Palace?

乙：我看这样吧，你们骑车，我们坐车，八点半在颐和园门口集合。

I tell you what: you ride your bikes, we'll go by bus, and we'll meet at the entrance of the Summer Palace at 8:30.

解释：

"这样吧"带有商量的语气。在汉语口语里，说话人在讲自己的办法和建议的时候，常常先说"这样吧"，以示跟对方商量。

练习：

1. 完成下列对话：

　(1) 甲：我打算去杭州，可是没那么多钱。

　　　乙：这样吧，_____，以后再还给我。

　(2) 甲：咱们五个人，只有四张火车票，怎么办呢？

　　　乙：这样吧，_____，我明天再走。

　(3) 甲：这本书是琳达的，我来了三次了，她都不在。

　　　乙：这样吧，_____，我替你交给她。

2. 用"这样吧"在下列情况下说话：

　例：说话人建议对方晚上到他家来，他们一块儿看电视。

　　　这样吧，晚上你到我家来，咱们一块儿看电视。

　(1) 说话人建议对方把钱给他，他替对方去买元宵。

　(2) (在剧场门口儿) 说话人建议对方先进去，他在那儿等小明。

　(3) 说话人让对方先把一张画给约翰，他再给对方画一张。

　(4) (在农贸市场) 说话人 (卖西瓜的) 让顾客先买一个尝尝，要是

74

好吃再来买。

三、到处 *everywhere*

例句：

1. 这种花儿到处都有。

   This kind of flower can be found everywhere.

2. 刚下完雨，院子里到处都是水。

   It has just rained. There is water all over the courtyard.

3. 把书放在书架上，不要到处乱放。

   Put the books on the shelves. Don't leave them all over the place.

4. 昨天你上哪儿了？我到处找你，也没找到。

   Where did you go yesterday? I looked for you everywhere, but couldn't find you.

解释：

"到处"，副词，一般用在动词前作状语。表示"各处"、"任何地方"。

练习：

1. 替换

   (1) 这样的桥到处都有。

   1) _____到处都有。(树)

   2) _____到处都有。(花儿)

   3) _____到处都有。(工厂)

   4) _____到处都有。(建筑)

   (2) 公园里到处是花儿。

   1) 屋子里_____。

   2) 大街小巷_____。

   3) 节日的晚上_____。

   4) 我们的祖国_____。

2. 用"到处"和指定词语造句：

   (1) 街上　　　　　人

   (2) 墙上　　　　　画儿

   (3) 桌子上　　　　书

   (4) 草地上　　　　牛羊

(5) 校园里　　　　歌声

(6) 这座山上　　　树

(7) 琳达　　　　　找工作

(8) 史密斯　　　　作报告

(9) 商店经理　　　打听消息

(10) 公园里　　　栽花种草

四、尽可能　as... as possible

例句：

1. 你要尽可能找到他！

You must do your best to find him.

2. 我们要尽可能改善人民生活。

We should try our best to improve the life of the people.

3. 我尽可能早点儿来。

I'll come a little early if possible.

4. 甲：读快一点儿，还是读慢一点儿？

Should I read a little faster or a little slower?

乙：尽可能慢一点儿！

A little slower if you can.

5. 甲：您要买贵的，还是要买便宜的？

What were you thinking of going for: a more expensive one, or a cheaper one?

乙：尽可能买便宜一些的。

A cheaper one, if possible.

解释：

"尽可能"，多在动词或形容词前边作状语，表示在能力或条件许可下力求达到某种标准或限度。

练习：

1. 用"尽可能"完成下列对话：

(1) 甲：明天晚上我们学校有电影，你能来吗？

乙：＿＿＿＿＿＿＿＿＿＿＿，到时候实在来不了我打电话告诉你。

（2）甲：你说服装店怎样才能吸引顾客呢？

乙：依我看，服装的式样要＿＿＿＿＿＿＿＿＿＿＿＿＿＿＿＿，

花色品种要＿＿＿＿＿＿＿＿＿＿＿＿＿＿＿＿，质量要

＿＿＿＿＿＿＿＿＿＿＿，价钱要＿＿＿＿＿＿＿＿＿。

2．用"尽可能＋动词（或动词短语）"填空：

（1）你要＿＿＿＿＿＿＿＿＿＿＿＿他的要求。

（2）这么好的学习条件，你们要＿＿＿＿＿＿＿＿＿＿一些书。

（3）我们要＿＿＿＿＿＿＿＿产品数量，＿＿＿＿＿＿＿＿产品质量。

（4）能不买的（东西）＿＿＿＿＿＿＿，能少买的＿＿＿＿＿＿。

（5）各级干部都要＿＿＿＿＿＿＿＿＿＿群众的生活。

3．用"尽可能＋形容词（或形容词短语）"填空：

五、反正　any way，in any case

例句：

1．那种地方谁爱去谁去，反正你不能去。

Anyone else can go there if they like, but there is no way you can go.

2．无论你怎么说，反正我不同意。

I don't care what you say, I still disagree.

3．反正不远，咱们就走着去吧！

Anyway, it's not far. Why don't we just walk there?

4．反正你现在不用，就先借给他吧！

You are not using it, anyhow, so why not lend it to him for the time being?

5．反正去不去都可以，你就别去了。

Anyway, it doesn't matter whether you go or not, so you may as well just not go.

解释：

"反正"，副词，有时表示在任何情况下结果都一样，多用于主语前（例1、2），有时指明情况或原因有"既然"之意，（例3、4、5）。

练习：

1．用"反正"完成下列句子：

（1）不管你看不看，＿＿＿＿＿＿＿＿＿＿＿＿＿＿＿＿

77

(2) 不管你愿意不愿意，_____。

(3) _____，你就别穿那么多衣服了。

(4) _____，咱们再玩一会儿吧！

2．在下列句子的适当地方加上"反正"：

(1) 谁有时间谁去，我没时间。

(2) 不管你怎么数，都是那么多（钱）。

(3) 衣服不贵，多买几件吧！

(4) 爸爸不在家，多看一会电视吧！

(5) 学不学都一样，我不学了。

六、明明　clearly，obviously，undoubtedly

例句：

1．明明是约翰，你怎么说是汤姆呢？

It's clearly John, so why did you say Tom?

2．这件事你明明知道，为什么说不知道呢？

You obviously know about this matter, so why say you don't?

3．怎么会是你的呢，明明是他的嘛！

How can you say it's yours? It's obviously his.

4．明明他去过那儿，却说没去过。

He'd clearly been there before, yet he said he hadn't.

5．你看，这不明明是三个吗？

Look, aren't there three here?

解释：

"明明"，副词，表示显然如此，或确实如此，用"明明"的小句前或后常有表示反问或转折的话。这里有两点应该注意：①"明明"可用在小句（分句）的开头（例 1、3、4），也可用在表示反问的单句中（例 5）。②"明明"可以在主语前边（例 4），也可以在主语后边（例 2）。

练习：

1．完成下列句子：

(1) 他明明看见了，_____。

(2) 明明他知道，_____。

(3) 明明是小李，_____?

(4) 明明是元宵，_____?

(5) 他明明赚了钱，_____。

2．用"明明"填上前边的话：

(1) _____，怎么说没去过呢?

(2) _____，他却说我没还给他。

(3) _____，他却说效果不好。

(4) _____，你怎么说是甜的呢?

(5) _____，怎么会是五个呢?

3．在下列句子的适当位置填上"明明"：

(1) 目标达到了，他却说没达到。

(2) 技术很落后，他却说很先进。

(3) 这个问题很严重，你怎么说没关系呢?

(4) 我很重视他，他却说我看不起他。

(5) 这句话不是针对我说的吗?

七、反倒　on the contrary

例句：

1．雨不但没停，反倒更大了。

The rain did not stop—on the contrary, it got heavier.

2．别人听了都很高兴，她反倒哭起来了。

Everyone was glad to hear that, but she, on the other hand, began to cry.

3．这个人真不讲理，明明是他打了我，反倒说我打了他。

What a liar! Anyone can see it was he who hit me, yet he says it was I who hit him!

4．那个服务员的态度，不但没有改进，反倒更坏了。

The attendant's attitude did not improve—quite the reverse, it got even worse.

解释：

"反倒"，副词，表示意思相反或出乎预料，在句子中起转折作用。

79

练习：

用“反倒”完成下列句子：

(1) 他是班里最好的学生，这次考试_____。

(2) 上次比赛北京队赢了，这次_____。

(3) 这个人真奇怪，别人都说冷，他_____。

(4) 你不解释，我还明白，你一解释，_____。

(5) 过去，他的身体不如我，_____。

(6) 小李以为这个月一定得奖，结果_____。

(7) 我帮了他很大忙，他不但不感谢我，_____。

(8) 一班的程度本来比二班高，_____。

听力练习

（听录音，听力问题见本书附录）

回答问题

1. 请你讲讲中国人过春节的风俗习惯。
2. 中国人过春节都有哪些庆祝活动？
3. 请你讲讲元宵节的情况。
4. 你知道元宵是怎么做的吗？
5. 英文里有没有谜语？你能讲一个吗？
6. 你知道端午节的来历吗？
7. 中国人过端午节为什么要吃粽子？
8. 请你讲讲屈原的故事。
9. 你知道中国人怎么过中秋节吗？
10. 讲一讲你们国家都有哪些节日。

（英译汉，答案见本书附录）

1. when watering (the) flowers
2. Tomorrow is Christmas.
3. a proposition for national prosperity and military strength
4. the origin of the Dragon Boat Festival
5. Lanterns are generally round.
6. award you a Spring Festival picture as a prize
7. the custom of performing the lion dance
8. Oh, you are relatives!
9. Lanterns are made of bamboo, aren't they?
10. I don't know either. Next time I'll count and see.
11. to go out all together to admire the moon
12. celebrate October lst (National Day for PRC)
13. Have you any news of him?
14. for the sake of the family reunion
15. You speak like you're not a native here.
16. How do the Chinese people celebrate the Spring Festival?
17. Every highway and byway was crowded with people.
18. All the things in the vehicle were scattered on the ground.
19. O. K., I'll hang it up for you.
20. to pay a New Year call to Professor Zhang.
21. We left Professor Zhang's house at ten in the evening.
22. still need improvement
23. Anyhow, I can't hang it up.
24. to paste the New Year's paintings on the wall
25. the morning of the first day of the first month (of the lunar year)
26. They like to eat moon cakes.
27. to do it in the traditional way
28. You needn't rush back.

29. Here, I'll tell you a riddle.

30. Oh, so *yuanxiao* are made of glutinous rice flour!

31. It is said: "At festival time, one longs the more for home."
    I suppose that at Christmas time, you also miss your home.

32. At the dragon boat races, how many rowers are there in each boat?

33. It is late, we have to go now.

34. How is it that you can't even hang up a lantern?

35. He was the first to hurry back to celebrate the New Year.

36. As to what playing the Dragon Lantern signifies, I don't know.

37. It is said that dragon is the symbol of ancient China.

38. He said that he doesn't like sweet things, yet he ate a whole lot of chocolates.

39. The first few times you might not get it right.

40. You were quite aware that he can not swim, why did you invite him to go swimming?

41. Li Hua is the smartest one after all. He can even understand Su Shi's poems.

42. Please do your best to post the Spring Festival couplets up as early as possible.

43. They say that, because her parents would not allow them to get married, she jumped into the river and drowned.

44. I'll boil the dumplings right away!

45. It is said that this custom began in the Han Dynasty.

46. There's shrimp in these dumplings—they're really delicious!

47. After all, the popular brand proves to be the best.

48. Chocolate is awfully sweet!

49. Better sweep the courtyard before going out to pay New Year's visits.

50. No doubt it was good news, yet when she heard it, not only was she not happy, she actually wept!

第 5 课

左邻右舍四家人

左邻右舍四家人

（琳达有个中国朋友叫张玲。星期日，琳达刚吃完早饭，张玲就来找她，请她到家里去玩儿。她们一起高高兴兴地来到张玲家。

这是一个普通的四合院，住着张、王、李、赵四家人。琳达第一次来到这样的四合院，觉得特别新鲜。

东屋是张玲家，张玲的父母张海山和江文兰都是老工人，他们热情地招待琳达。）

琳　达：伯父，伯母，打扰你们了。

张海山：哪里，哪里。

江文兰：张玲常提到你，你跟她是同学，又是好朋友。今天既然来了，你就多玩一会儿，跟我们一起吃午饭，我给你们包饺子。

琳　达：谢谢，太麻烦您了。

张　玲：你还客气什么！

琳　达：张玲，你哥哥嫂子和小侄女今天怎么都不在家呀？

张　玲：上个月他们分到了一套新房子，搬走了。离这儿不算太远，我爸爸妈妈想孙女了，就去看看。休息的时候，我哥哥嫂子也带着孩子来看爷爷奶奶。

琳　达：那今天怎么没来呢？

张　玲：他们厂星期五和星期六休息，星期日不休息。

琳　达：噢。（对江文兰）伯母，您的孙女一定很可爱，您一定很疼她吧。

江文兰：现在都是一个孩子，哪儿有不疼的？

琳　达：现在中国实行计划生育，号召一对夫妇只生一个孩子，人们都想得通吗？

84

江文兰：大部分人都能想得通。当然也有想不通的，比如我们东院高家，儿媳妇生了一个女孩儿，婆婆说什么也不答应，非得再要一个孙子不可。

张　玲：那个老太太重男轻女，思想太封建了。

琳　达：我看她想要孙子也有一定的原因。中国社会是由儿子养活父母，女儿长大结了婚一走，父母谁来管呢？

江文兰：现在男女平等，女儿结婚以后，可以住在婆家，也可以住在娘家。就拿南屋王家来说吧，老两口儿只有一个独生女儿。女儿大学毕业以后，在一个研究所工作，在所里整天搞科研，回到家里还得帮妈妈做饭洗衣服。挺好的姑娘，到二十八九岁还没有对象。

琳　达：中国现在提倡晚婚，可是二十八九岁的大姑娘恐怕不好找对象了吧？

张　玲：现在社会上很关心这些青年的婚姻问题，经常组织各种娱乐活动，让他们互相交往，选择合适的对象。

江文兰：南屋那个姑娘就是这样认识了一个人民大学毕业的研究生。两个人挺合得来，那小伙子知道她是独生女儿，就主动提出结婚以后住在她家，跟她一起照顾父母。他们今年春天结的婚，现在一家四口儿，生活挺幸福。

张海山：要是所有的家庭都这样就好了。

琳　达：我听说现在中国人离婚的也越来越多了，不知道在中国是怎么处理离婚问题的。

张　玲：闹离婚有各种原因，比如有的是一方喜新厌旧，有的是第三者插足，还有不少家庭其实并没有什么大不了的矛盾，只不过是为一些家务事经常吵闹。在我们国家，处理离婚问题，一般都要先进行调解。

琳　达：怎么调解呢？

张　玲：(对江文兰) 妈，您给她讲讲西屋李大哥家的情况吧！

江文兰：唉。我们院西屋的李家，小两口儿刚结婚的时候，感情可好啦。后来，他们生了一个小男孩儿，孩子今年三岁了，长得又结实又好看，一家三口儿，一直过得很美满。可是谁也没想到，前些天两个人竟闹开离婚了。

琳　达：那是为什么呢？

江文兰：男的经常跟他们公司的一个女青年一起逛公园，下饭馆，回到家里就跟他爱人吵架。吵来吵去，他就提出要跟他爱人离婚。

琳　达：那后来怎么样了？

江文兰：他们公司的领导对他和那个女青年进行了批评教育，左邻右舍也对他们夫妻进行了劝说。经过大家的调解，男的认识了错误，小两口儿又重新和好了。

琳　达：这就好了，要不然，父母一离婚，那个小男孩儿多可怜呀！

江文兰：可不是嘛！

琳　达：张玲，我还有一个问题不明白。

张　玲：你说吧！

琳　达：万一独生子女有什么不幸，父母老了谁来照顾呢？

张　玲：北屋的赵大爷和赵大妈原来只有一个独生儿子，后来不幸死了。现在老两口儿都退休了，生活得很幸福。

张海山：我看这样吧，你陪琳达去赵大爷家看看，说不定他们老两口儿正盼着你呢。

张　玲：怎么样，琳达？我陪你去看看！

琳　达：好哇！

（两人来到赵大爷家，张玲给他们一一作了介绍。）

琳　达：您二位多大年纪了？

赵大爷：我六十八，她六十四。

琳　达：您生活过得还好吧？

赵大爷：我和老伴儿从前都是工人，现在退休了，工厂按月给我们退休金，逢年过节，厂里的领导还专门来看望我们，街道居民委员会也派人来帮

86

我们扫房、买东西什么的，照顾得可周到啦！

赵大妈：院里的邻居对我们也很关心，尤其是张玲这孩子，一休息就来帮我们买粮买菜，洗衣服，简直就跟我们亲女儿一样。

张　玲：大妈，瞧您说的！

赵大爷：我们的生活虽说不算富裕，可也不愁吃不愁穿的。你瞧，这沙发、电视机什么的，别人家有，我们家也都有了！

赵大妈：有了电视可方便多了，不用出门儿就能看电影，听京戏了。

张　玲：（对琳达）赵大爷和赵大妈每天早晨都到公园去打太极拳，晚饭后还要出去散散步。

琳　达：怪不得身体这么结实呢！大爷，大妈，我祝您二位生活愉快，健康长寿！

赵大爷：谢谢，托你的福了！

　　　　（张玲和琳达向二位老人告别。她们回到张家，和张玲的父母一起，一边儿包饺子，一边儿谈话。）

生　词

1. **普通** pǔtōng（形）

   common，ordinary

   ○ 这是一所普通的房子。

   This is an ordinary house.

   ○ 他是个普普通通的人。

   He is a very ordinary person.

2. **四合院** sìhéyuànr（名）

   a compound with houses around a courtyard，quadrangle

3. **招待** zhāodài（动）

   to receive（guests），to entertain

4. **伯父** bófù（名）

   uncle（father's elder brother；

   polite form to address a friend's father）

5. **伯母** bómǔ（名）

   aunt（wife of father's elder brother，polite form to address a friend's mother）

6. **哪里，哪里** nǎlǐ，nǎlǐ

   What are you talking about？It's nothing.

7. **既然** jìrán（连）

   since，now that

   ○ 你既然来了，就多住几天。

   Now that you have made it here，you should stay for a few days.

8. **麻烦** máfan（动、形）

   to disturb，to bother；troublesome（polite way of asking someone to do something）

   ○ 对不起，麻烦您了！

   Sorry to have put you to so much trouble.

   ○ 这是一件麻烦的事。

   This is a nuisanse.

   ○ 麻烦您替我买一张票。

   Would you please buy me a ticket？

88

9. **嫂子** sǎozi（名）

  elder brother's wife, sister-in-law

10. **侄女** zhínǚ（名）

  brother's daughter, niece

11. **套** tào（量、名、动）

  (for house) a flat, (for clothes) a suit, (for other things) a set of

  ○ 一套课本

  a set of textbooks

  ○ 手套

  gloves

12. **爷爷** yéye（名）

  grandfather

  (father's father)

13. **奶奶** nǎinai（名）

  grandmother

  (father's mother)

14. **疼** téng（动、形）

  to love dearly; painful

  ○ 张大娘最疼小儿子。

  Aunt Zhang loves her youngest son best.

  ○ 头疼

  to have a headache

15. **生育** shēngyù（名、动）

  childbirth; to give birth to

16. **号召** hàozhāo（动、名）

  to call, to appeal; appeal

  ○ 号召群众种树种草

  to call on the masses (people) to plant trees and grass

  ○ 学生会发出了一个号召。

  The Student Union issued an appeal.

17. **夫妇** fūfù（名）

  husband and wife

18. **想得通** xiǎngdetōng（动补）

  to be able to straighten out one's thinking, to become convinced,
  to come around

○ 这件事，他一定能想得通。

He will come around about this matter.

19. 儿媳妇 érxífu（名）

daughter-in-law

20. 婆婆 pópo（名）

mother-in-law（husband's mother）

21. 同意 tóngyì（动、名）

to agree; consent

○ 我同意你的看法。

I agree with you.

○ 这件事需要先得到他的同意。

This matter is subject to his consent.

22. 非得 fēiděi（助词）

must, to have to, to insist on（can be used in conjunction with 不可 or 才行）

○ 他非得穿这件大衣（不可）。

He insists on wearing this coat.

23. 重男轻女 zhòngnán-qīngnǚ

favoring men to women; considering men superior to women

24. 结婚 jiéhūn（动）

to get married

25. 管 guǎn（动）

to look after, to take care, to be in charge of, to control

○ 我们不能不管父母。

We have to look after our parents.

○ 他在工厂里管采购。

In this factory, he is in charge of purchasing.

26. 娘家 niángjia（名）

married woman's parents' home

27. 老两口儿 lǎoliǎngkǒur（名）

an old couple（husband and wife）

○ 这老两口儿很喜欢旅行。

This old couple love to travel.

28. 毕业 bìyè（动）

to graduate

90

○ 他今年夏天大学毕业。

He is going to graduate from college this summer.

29. **搞科研** gǎo kēyán （动宾）

to do scientific research

30. **对象** duìxiàng （名）

boyfriend or girlfriend, prospective partner in marriage

○ 她有对象了。

She has a boyfriend.

31. **恐怕** kǒngpà （副）

probably, I'm afraid that （sometimes implying anxiety）

○ 他恐怕不来了。

He probably is not going to come.

32. **婚姻** hūnyīn （名）

marriage

○ 婚姻是人生一件大事。

Marriage is very important in one's life.

33. **娱乐** yúlè （动、名）

to amuse; recreation, entertainment

○ 休息时他们一齐唱歌，娱乐。

They sing songs to amuse themselves during the break.

○ 学校里平时有什么娱乐活动？

What kind of recreational activities do you usually have at school?

34. **交往** jiāowǎng （动）

to associate with, to make contact with

○ 父母不同意我和他交往。

My parents don't agree to my association with him.

35. **选择** xuǎnzé （动、名）

to choose; choice

○ 选择一个合适的日子。

to choose an appropriate date

○ 除了去农村外，他别无选择。

He has no other choice but to go to the country （side）.

36. **合得来** hédelái （动补）

to get along well

○ 小刘和小王最合得来。

Xiao Liu and Xiao Wang got along especially well.

37. 主动 zhǔdòng (形)

    to have initiative

○ 他工作很主动。

    He displays great initiative in his work.

38. 幸福 xìngfú (形、名)

    happy; happiness

○ 我的家庭很幸福。

    I have a happy family.

○ 不同的人对幸福有不同的理解。

    Different people have different ideas about happiness.

39. 美满 měimǎn (形)

    happy, perfect, satisfactory

○ 生活美满

    a happy life

○ 美满的婚姻

    a happy marriage

40. 所有的 suǒyǒude

    all, every

○ 我们把所有的粮食都卖了。

    We sold all of our crops.

○ 所有的问题都解决了。

    All the problems have been solved.

41. 离婚 líhūn (动)

    to divorce

闹离婚 nào líhūn

    to squabble to the point of divorce

42. 处理 chǔlǐ (动)

    to handle, to deal with

○ 他负责处理日常事务。

    He is in charge of administrative work.

43. 喜新厌旧 xǐxīn-yànjiù

    to love the new and loathe the old; be fickle in affection

44. 第三者插足 dì-sānzhě chāzú

    The third party is involved.

45. 大不了 dàbuliǎo

　　at worst, serious

○ 今天晚上我一定要把这本书看完，大不了晚睡一会儿。

This evening I must finish reading this book. At worst, it will only mean I'll stay up a bit late.

○ 没什么大不了的事。

There's nothing serious.

46. 矛盾 máodùn（名、形）

　　conflict; contradictory

○ 他们两个人闹矛盾了。

The two had a conflict.（The two had a falling out.）

○ 这两种意见并不矛盾。

These two views are not contradictory to each other.

47. 家务事 jiāwùshì（名）

　　household chores

48. 吵闹 chǎonào（动）

　　to quarrel, to wrangle

49. 调解 tiáojiě（动）

　　to mediate, to make peace

50. 感情 gǎnqíng（名）

　　feelings, emotions

51. 竟 jìng（副）

　　unexpectedly, surprisingly（contrary to expectation）

○ 那么一个小摊子竟赚了这么多钱。

Who would have thought such a small stand could make so much money?

○ 故事的内容这么简单，可是他竟听不懂。

The content of the story is very simple, but surprisingly, he doesn't understand it.

52. 劝说 quànshuō（动）

　　to persuade, to advise

53. 重新 chóngxīn（副）

　　again, anew

○ 我们要把这个问题重新讨论一下。

We'll discuss this problem again.

54. 要不然 yàoburán（连）

otherwise

○ 夫妇二人一定得合得来，要不然就谈不上美满的婚姻。

A husband and wife must get along well, otherwise they will not have a happy marriage.

55. 万一 wànyī （副）

if by any chance, just in case

○ 万一老伴死了，谁来照顾他呢？

If by any chance his wife dies, who is going to take care of him?

56. 不幸 búxìng （副、名）

unfortunately; misfortune

57. 退休 tuìxiū （动）

to retire

58. 陪 péi （动）

to keep company, to accompany

○ 他陪父母住。

He keeps his parents company by living with them.

○ 我陪你去。

I'll accompany you to go there.

59. 说不定 shuōbudìng （副）

perhaps, maybe

○ 说不定他已经走了。

Maybe he has already left.

○ 这对夫妇说不定要离婚。

Perhaps this couple will get a divorce.

60. 年纪 niánjì （名）

age

61. 老伴 lǎobànr （名）

husband or wife （in an old couple）

○ 我老伴今年已经八十岁了。

My wife （or husband） is 80 years old.

62. 按月 àn yuè （介宾）

on schedule （according to each month）

63. 退休金 tuìxiūjīn （名）

retirement pay, pension

64. 逢年过节 féng nián guò jié

94

on New Year's Day or other festivals

65. 居民 jūmín（名）

 resident

66. 邻居 línjū（名）

 neighbor

67. 亲 qīn（形）

 related by blood, close, intimate

 ○ 亲姐妹　sisters

68. 瞧您说的 qiáo nín shuōde

 How nice of you to say so!

69. 富裕 fùyù（形）

 wealthy, well-to-do, rich

 ○ 生活很富裕

 to live a comfortable life.

70. 愁 chóu（动）

 to worry

 ○ 不愁吃，不愁穿

 not have to worry about food and clothing

71. 沙发 shāfā（名）

 couch, sofa

72. 什么的 shénme de

 and so on

 ○ 小说、诗歌、剧本什么的，他都爱看。

 He is fond of reading novels, poetry, plays, and so on.

73. 京戏 Jīngxì（名）

 Peking opera

74. 打太极拳 dǎ Tàijíquán

 to do *taijiquan* （Chinese shadow boxing）

75. 散步 sànbù（动）

 to stroll, to take a walk

76. 托你的福了 tuō nǐde fú le

 thanks to you（polite remark, lit. my good fortune rests on yours）

77. 告别 gàobié（动）

 to say goodbye, to bid farewell

○ 我们告别了父母，到另一个城市去工作。

We said goodbye to our parents and went to work in another city.

专　名

1. 张玲	Zhāng Líng	Zhang Ling（name of a person）
2. 张海山	Zhāng Hǎishān	Zhang Haishan（name of a person）
3. 江文兰	Jiāng Wénlán	Jiang Wenlan（name of a person）
4. 赵大爷	Zhào dàye	Uncle Zhao（a respectful form of address for an elderly man）
5. 赵大妈	Zhào dàmā	Aunt Zhao（a respectful form of address for an elderly woman）
6. 太极拳	Tàijíquán	*taijiquan*（Chinese shadow boxing）

语言点和练习

一、既然……就……　since，now that

例句：

1. 你既然来了，就别走了。

   Now that you have come, don't leave again.

2. 他既然答应给你了，就不会再给别人。

   Since he has promised to give it to you, he will not give it to someone else.

3. 既然人家姑娘不同意，你就别勉强了。

   Since the young lady doesn't like the idea, don't force her to accept it.

4. 既然矛盾已经产生了，就得想办法解决。

   Now that there is a conflict, we must think of a solution.

5. 事情既然已经这样了，您着急有什么用呢？

   Now that things have turned out this way, it's useless to worry.

解释：

"既然……就……"表示先提出一个确定的前提，然后根据这个前提推出结论。"既然"一般用在前一小句，"就"用在后一小句跟它前后呼应。如果前后两个小句主语相同，"既然"一般在主语后边（例1、2）。有时后一小句的推论用问句或反问句来表示（例5）。

练习：

1. 给下列句子填上"既然……就……"：
   (1) 他不舒服，别去了。
   (2) 你关心她，应该给她找个好对象。
   (3) 你们夫妇没有大不了的矛盾，别离婚了。
   (4) 这个沙发不结实，你不要买了。
   (5) 生活不富裕，别买那么贵的东西了。

2. 用"既然……就……"完成下列对话：
   (1) 甲：这个孩子，别的青菜都爱吃，就是不爱吃白菜和萝卜。
       乙：_____，你就别给他做了。
   (2) 甲：端午节吃粽子的来历我也知道！
       乙：_____，那就给我们讲讲吧！
   (3) 甲：爷爷，有人陪您去吗？
       乙：有，你奶奶陪我去。
       甲：_____，我就不去了。
   (4) 甲：人家夫妻吵架跟你有什么关系呀？
       乙：跟我没什么关系。
       甲：_____，你就不要管。

3. 用"既然……就……"造句。

二、哪儿有不……的　how can... not...

例句：

1. 这么好的儿媳妇，婆婆哪儿有不满意的？
   With such a good daughter-in-law, how can the mother-in-law not be content?

2. 北京烤鸭又香又嫩，哪儿有不爱吃的？
   Peking Roast Duck is delicious and tender. How can anyone not like it?

3. 这些黄瓜都是刚从园子里摘的，哪儿有不新鲜的？

These cucumbers were just picked from the garden. How can they not be fresh?

解释:

"哪儿有不……的",是用反问的形式表示肯定的意思,中间可以嵌入动词、动词短语或形容词。

练习:

1. 替换:

(1) 这么好的东西　　　　　喜欢
(这么好的东西,哪儿有不喜欢的?)

(2)　　　　　　　　　　　想买

(3)　　　　　　　　　　　想要

(4)　　　　　　　　　　　高兴

(5) 这么好的地方　　　　　想去
(这么好的地方,哪儿有不想去的?)

(6)　　　　　　　　　　　想来

(7)　　　　　　　　　　　看看

(8)　　　　　　　　　　　参观

2. 组合:

(1) 人家主动来帮忙　　欢迎
(人家主动来帮忙,哪儿有不欢迎的?)

(2) 你们来了　　　　　招待

(3) 爷爷奶奶　　　　　疼孙子

(4) 态度不好　　　　　受批评

(5) 一毕业就有了工作　高兴
(一毕业就有了工作,哪儿有不高兴的?)

(6) 每天锻炼身体　　　结实

(7) 农民干劲儿大了　　富裕

3. 对话:

(1) 甲:大爷,您这身衣服真合适!
乙:老伴儿做的,＿＿＿＿＿＿＿＿＿＿＿＿＿＿＿＿?

(2) 甲:这屋子真凉快!
乙:开着电扇,＿＿＿＿＿＿＿＿＿＿＿＿＿＿＿＿?

(3) 甲:这件事我得好好考虑考虑。

乙：是呀，婚姻大事，_____?

(4) 甲：伯父伯母，您老两口儿怎么这么高兴啊?

乙：我们退休了，还按月领退休金，_____?

三、恐怕　probably，I'm afraid that...

例句：

1. 这么多书恐怕一星期看不完。

   There are so many books, I'm afraid I will not be able to finish them all in a week.

2. 这件事恐怕不那么简单。

   That matter, I'm afraid, is not so simple.

3. 他恐怕有三十五（岁）了吧。

   He is probably 35 years old.

4. 都这么晚了，恐怕他不会来了。

   It's so late. He is probably not coming.

5. 他的病恐怕好不了了。

   I'm afraid he will not recover from his illness.

6. 你去说吧，我去说，恐怕他不听。

   How about you talking to him. If I went, he probably wouldn't listen.

解释：

"恐怕"，副词，表示估计或担心。用在主语前边或主语后边都可以。

练习：

1. 用"恐怕"完成下列对话：

   (1) 甲：明天琳达去长城吗？

   　　乙：她身体不大舒服，_____。

   (2) 甲：你看那个人有多大岁数了？

   　　乙：_____。

   (3) 甲：你说我追得上他吗？

   　　乙：他跑得很快，_____。

   (4) 甲：五块钱能买三斤牛肉吗？

   　　乙：_____。

   (5) 甲：学完这两本书得多长时间？

乙：_____。

2．用"恐怕"把 A 和 B 组合成句子：

A	B
（1）这件事	不好办
（2）这个问题	不好回答
（3）这个矛盾	不好解决
（4）这个句子	不好翻译
（5）这个计划	不容易完成
（6）你不去	他不会来
（7）你不说	他不会知道
（8）你不问	他不会告诉你

四、大不了   serious，at worst

例句：

1．他们俩没有大不了的矛盾。

Those two don't have serious conflicts.

2．你有什么大不了的事，非找他不可呀？

What kind of terrible trouble do you have that you insist on looking for him?

3．没关系，大不了把我赶走。

It doesn't matter. If worse comes to worse, he can kick me out.

解释：

"大不了"有两个意思：①表示大，超过一般（例1、2）。②表示至多不过（例3）。

练习：

1．填空：

（1）我没有_____，不用麻烦校长了。

（2）你们没有_____，就不要离婚了。

（3）他老往医院跑，其实没有_____。

2．用"大不了"和指定的词语完成下列对话：

（1）甲：他的自行车不结实，你别给骑坏了。

乙：没关系，_____。（赔   新的）

(2) 甲：你不好好干活儿，万一经理看见怎么办？

乙：看见就看见，＿＿＿＿＿＿＿＿＿＿＿＿＿＿＿＿＿。（批评一顿）

(3) 甲：你都四年级了，怎么还不好好学习呀？

乙：怕什么，＿＿＿＿＿＿＿＿＿＿＿＿＿＿＿。（让　毕业）

五、竟　unexpectedly，surprisingly

例句：

1. 我以为他不会来，他竟来了。

   I think he would not come, but he did.

2. 真没想到，两年不见，你竟把我的名字忘了。

   It's surprising that you forget my name in just two years.

3. 真了不起，十岁的孩子竟画得这么好。

   It's amazing that a ten-year-old child could paint such a beautiful painting.

4. 真不简单，八十多岁了，身体竟这样结实。

   It's amazing. He is over 80 and still so strong.

5. 谁也没想到，这个问题竟这么复杂。

   Nobody knew that this problem would be so complicated.

解释：

"竟"副词，在动词性词语或形容词性词语前边作状语，表示出乎意料。

练习：

用"竟+其他词语"填空：

(1) 我以为她想不通，她＿＿＿＿＿＿＿＿＿＿通了。

(2) 年纪这么小，＿＿＿＿＿＿＿＿＿得这么好，真不简单。

(3) 真没想到，他对你＿＿＿＿＿＿＿＿＿＿。

(4) 我问了半天，他＿＿＿＿＿＿＿一句话也不＿＿＿＿＿＿＿＿。

(5) 两年没来，北京的变化＿＿＿＿＿＿＿＿＿＿。

(6) 想不到，这儿的风景＿＿＿＿＿＿＿＿＿＿。

(7) 他只学了一年汉语，水平＿＿＿＿＿＿＿＿＿，可见他很努力。

(8) 我以为事情很简单，没想到＿＿＿＿＿＿＿＿＿＿。

六、……来……去 **back and forth; time and again**

例句:

1. 我去找他的时候,他正在院子里走来走去。

When I went to see him, he was walking back and forth in the court-yard.

2. 我们找来找去,到底把他找到了。

We looked and looked, and finally we found him.

3. 他想来想去终于想通了。

He thought it over and over and finally became convinced.

4. 你们研究来研究去,到底有什么结果?

You have considered it time and again. What's your conclusion?

解释:

"……来……去"是一种常用的格式,"来"和"去"的前边常常是同一个动词,一般是单音节动词(例1、2、3),也可是双音节动词(例4)。表示动作不断反复,如"飞来飞去""跑来跑去""说来说去"等等。

练习:

1. 给下列句子填上适当的动词:

(1) 两只燕子 (swallow) 在空中_____来_____去。

(2) 几匹小马儿在草原上_____来_____去。

(3) 王老师在屋里_____来_____去,好像在想什么问题。

(4) 桌子_____来_____去,都搬坏了。

(5) 约翰_____来_____去,终于找到一个好姑娘。

(6) 这个演员_____来_____去,老是这几首歌。

(7) 他_____来_____去也没想出什么好办法。

(8) 你怎么_____来_____去老是这几句话呀?

2. 造句:

(1) 游来游去

(2) 挤来挤去

(3) 看来看去

(4) 研究来研究去

(5) 讨论来讨论去

七、要不然　otherwise

例句：

1. 他学习一定很努力，要不然汉语水平怎么这么高呢？

He must have studied very hard, otherwise how could his Chinese be so good?

2. 你一定做了错事，要不然老师怎么会批评你呢？

You must have done something wrong, otherwise why were you reprimanded by the teacher?

3. 要去，就快点去，要不然就别去了。

If you want to go, hurry up. Otherwise, don't go.

4. 我们要不断改进教学方法，要不然就不能提高教学质量。

We must constantly improve our teaching methods, otherwise we will not be able to raise the quality of education.

解释：

"要不然"，连词，表示假设，意思是"如果不这样"。

练习：

1. 用"要不然"说出后半句话：

(1) 他一定有事，_____。

(2) 老师一定很喜欢你，_____。

(3) 咱们早点儿回去吧，_____。

(4) 你快把巧克力给他吧，_____。

(5) 这本小说一定很有意思，_____。

2. 说出前半句话：

(1) _____，要不然不会这么高兴。

(2) _____，要不然他不会这样关心你。

(3) _____，要不然身体不会这么结实。

(4) _____，要不然，他怎么知道了呢？

(5) _____，要不然，我早就做完了。

八、万一　in case

例句:

1. 你带着伞吧,万一下雨呢。

   Take the umbrella with you just in case it rains.

2. 万一他不同意,那就麻烦了。

   If he doesn't agree, we'll be in trouble.

3. 甲: 万一他问我呢?

   What if he asks me?

   乙: 万一他问你,你就说不知道。

   If he asks you, just say you don't know.

4. 甲: 要是万一回不来呢?

   What if I can't come back?

   乙: 要是万一回不来,你就住那儿。

   In case you can't come back just stay there.

解释:

"万一",副词,表示可能性极小的假设,"万一"还可以和其他表示假设的连词连用,如例4。

练习:

1. 说出甲的话:

   (1) 甲: _____。(万一)

       乙: 万一没有车,咱们就走着回去。

   (2) 甲: _____。(万一)

       乙: 万一毕不了业,只好再学一年了。

   (3) 甲: _____。(万一)

       乙: 要是万一画坏了,你就重新画一张。

2. 用"万一"说出乙要说的话:

   (1) 甲: 要是琳达不来呢?

       乙: _____。

   (2) 甲: 他知道了怎么办呢?

       乙: _____。

   (3) 甲: 要是这些钱不够用呢?

       乙: _____。

九、说不定　maybe，probably

例句：

1. 看样子说不定要下雨。

   It looks like rain.

2. 他说不定一会就来。

   He probably is coming in a little while.

3. 玉梅说不定已经有对象了。

   Yumei probably has a boyfriend already.

4. 今天肯定有雨，说不定哪会儿就得下起来。

   It's going to rain sometime today; it may rain any time.

5. 连他自己也说不定是坐火车还是坐汽车去。

   Even he was not sure whether to go by train or by bus.

6. 这出京剧到底还演不演，我也说不定。

   I can't say for sure whether the Peking opera is going to be put on or not.

解释：

"说不定"有两个意思：①副词，在句子中作状语，表示"可能""不一定"，如例句 1、2、3、4。②动补结构，在句子中作谓语，表示"不能肯定"，如例句 5、6。

练习：

1. 用"说不定"完成下列对话：

   (1) 甲：今天他到底还来不来呀？

       乙：来，_____。

   (2) 甲：他们俩快结婚了吧？

       乙：可不，_____。

   (3) 甲：你看小王能考上大学吗？

       乙：我看_____。

   (4) 甲：你猜琳达现在干什么呢？

       乙：我猜呀，她_____。

2. 用"说不定"完成下列句子：

   (1) 这辆自行车有点毛病，_____。

   (2) 他的身体不大好，_____。

(3) 他们俩下棋的水平差不多，_____。

(4) 今天来的电冰箱卖完了，明天_____。

3. 用"说不定"作谓语完成下列句子：

(1) 他一会儿说去，一会儿说不去，我也_____。

(2) 你一会儿说冷，一会儿说热，我看你自己也_____。

(3) 约翰到底想学中文，还是想学历史，我也_____。

听力练习

（听录音，听力问题见本书附录）

回答问题

1. 张玲家住在什么地方？家里都有什么人？
2. 中国政府号召一对夫妇只生一个孩子，人们都想得通吗？
3. 为什么有人生了一个女孩儿，还想再生一个男孩儿？
4. 重男轻女的思想是怎么来的？这种思想对吗？
5. 南屋王家的姑娘为什么到二十八九岁才结婚？
6. 中国是怎样解决大龄青年的婚姻问题的？
7. 中国有没有离婚的问题？离婚的原因是什么？
8. 你知道中国怎么处理离婚问题吗？
9. 西屋李家夫妇为什么闹离婚？是怎么重新和好的？
10. 在中国，没有子女的老人生活怎么样？

翻译练习

（英译汉，答案见本书附录）

1. to entertain guests
2. Don't bother him with such trifles.

3. Luckily it's not far, I can easily go there again.

4. newly married couple

5. to receive one's pension

6. He is an only son.

7. Who is taking care of this matter?

8. She has graduated from college.

9. Many young people now are working on scientific research.

10. It looks like rain.

11. to show concern for retired older people

12. to choose a representative

13. to take the initiative

14. to have a happy life

15. a happy marriage

16. We have made everything ready.

17. The foreign affairs of the U. S. A. are conducted by the Secretary of State.

18. the couple who are squabbling to the point of divorce

19. a man who is fickle in affection

20. It's nothing serious.

21. to resolve a contradiction

22. dislike doing household chores

23. to correct a mistake

24. one who does not fear criticism

25. retired workers

26. retirement age

27. to acompany someone to the factory

28. the residents of this town

29. Now, quite a large number of farmers' living conditions are rather comfortable.

30. He explained it once again.

31. She is wearing an ordinary blue jacket.

32. Thank you for your kind hospitality.

33. "You gave us a lot of help." "It was nothing."

34. Now that you have expressed your determination, we'd like to see you take action.

35. Please pass this book onto Mr. Lee if it's not too much trouble.

36. The factory leader appealed to the young workers to study technology.

37. In order to manage the shop well, we must improve our attitude toward business.

38. Considering men superior to women is a feudal idea.

39. Schools and parents must both take care of children.

40. He is 28 years old, but still doesn't have a girlfriend.

41. It looks as if it might be windy during the night. We'd better close the windows.

42. There's no point in your going now. I'm afraid you won't be able to catch the train.

43. The teacher asked with concern whether the students were having any difficulties with their studies.

44. Strolling in the park and seeing Peking opera are both very entertaining.

45. The Chinese people are having more and more contacts with other peoples of the world.

46. The school is concerned about every student's studies, health and attitude.

47. The factories in China value female workers just as much as male workers. They no longer think of man as being superior to woman.

48. His ideas are full of contradictions.

49. We must concentrate on science and technology, otherwise society cannot progress.

50. No matter how busy I am, I always try my best to do an hour of foreign language study every day after dinner.

第6课

轻歌曼舞话友情

轻歌曼舞话友情

（一天上午，琳达、约翰和汤姆来到中央民族大学，和舞蹈班同学进行座谈。）

李老师：中国一共有五十五个少数民族，其中壮族人口最多，有一千二百多万，赫哲族人口最少，还不到一千人。在我们国家，民族无论大小，都是平等的。这个班只有一个学生是汉族，其他都是少数民族。你们看得出来她们谁是哪个民族的吗？

琳　达：要是她们穿着民族服装，我能看出谁是蒙古族的，谁是维吾尔族的，谁是藏族的。其他民族的，就是穿上民族服装，我也看不出来。现在刚上完基本训练课，她们都没穿民族服装，就更看不出谁是哪个民族的了。

李老师：既然这样，那就让同学们自我介绍一下好了。你们对什么问题感兴趣，尽管提出来。

琳　达：好的。

（舞蹈班学生一一作自我介绍）

舒　英：我是满族，叫舒英，"舒服"的"舒"，"英雄"的"英"。你们都知道老舍先生吧？他也姓舒，也是满族人。

约　翰：老舍先生是一位很了不起的作家。我非常喜欢看他的作品，尤其是小说《骆驼祥子》和话剧《茶馆》，写得简直太好啦！

琳　达：老舍先生是北京人，你也是北京人吗？

舒　英：不，我是东北人。我们满族人大部分居住在辽宁省，全国一共二百六十多万满族人，辽宁省就有一百四十多万。

琳　达：你为什么要学民族舞蹈呢？

110

舒　英：我们国家的少数民族大都是能歌善舞的，各民族都有优美的传统舞蹈，我们满族的舞蹈动作也非常优美。我从小喜欢舞蹈，去年考上了中央民族学院艺术系。我要好好学习，把我国优秀的传统艺术继承下来。

琳　达：有志者事竟成，你一定能成为一名优秀的舞蹈演员。

李老师：乌云，该你了！

乌　云：我叫乌云，蒙古族，是在大草原上长大的。你们去过内蒙古草原吗？

约　翰：去过，还住过蒙古包呢！我们去的时候正是秋天，大草原一望无际，牧民们赶着羊群、牛群在草原上放牧，真是"天苍苍，野茫茫，风吹草低见牛羊"，美极了！

乌　云：你们参加"那达慕"大会了吗？

约　翰：没有。我们去晚了，没赶上，真可惜！你给我们讲讲好吗？

乌　云：好。"那达慕"是蒙古语，有游戏和娱乐的意思。每年七八月，牛羊肥壮的季节，蒙古族牧民都要举行"那达慕"大会。"那达慕"大会内容丰富多彩，有摔跤、赛马，有下棋、射箭，还有精彩的歌舞。你们下次再去内蒙古草原，可千万别错过这个机会。

约　翰：对，我们一定要参加一次"那达慕"大会。

阿米娜：你们看我是哪个民族的？

汤　姆：我看你有点儿像维吾尔族的。前年我来中国旅游的时候，认识了你们学校的一个学生，她是维吾尔族，长得跟你差不多。

阿米娜：她叫什么名字？

汤　姆：叫阿依娜。

阿米娜：那是我姐姐，她已经毕业了，现在是新疆歌舞团的演员。

汤　姆：你毕业以后也回新疆吗？

阿米娜：那还用说！有一首民歌里说，"新疆是个好地方，天山南北到处是牛羊"。我们新疆土地辽阔，物产丰富。那里不但有肥壮的牛羊，还有克拉玛依大油田。你们有机会的话，到我们新疆去看看吧，新疆的白葡萄和哈密瓜可好吃啦!

约　翰：(向艾丽)你也是维吾尔族的吧?

艾　丽：不是。

约　翰：蒙古族的?

艾　丽：也不是。

约　翰：那你究竟是哪个民族的?

艾　丽：我是哈萨克族的。我们哈萨克族是个好客的民族,家里来了客人,不管认识不认识,都要拿出酒肉热情招待。

李老师：哈萨克族有一句谚语,"如果在太阳下山的时候放走了客人,就是跳到水里也洗不清这个耻辱。"

艾　丽：我们哈萨克族的传统节日是库尔班节。节日那天有一个活动叫"姑娘追",男女青年一对一对地骑着马向指定地点慢慢走去,小伙子可以跟姑娘开玩笑,姑娘不能生气。等到了指定地点往回走的时候,小伙子在前边跑,姑娘在后边追,并且可以用马鞭抽打小伙子。

约　翰：噢,让小伙子挨打呀!

琳　达：反正没人追你,你放心好了。

李老师：卓玛,你先表演一个节目,让他们猜猜你是哪个民族的。

卓　玛：好。(边歌边舞)

琳　达：我看出来了,你是藏族的。

卓　玛：你从哪儿看出来的呢?

琳　达：你表演的时候有献哈达的动作。

卓　玛：你知道献哈达表示什么意思吗?

琳　达：表示敬意呗!

卓　玛：对。我们藏族给尊贵的客人献上洁白的哈达,是向客人表示真诚的敬意和美好的祝愿。

琳　达：你家在什么地方?

卓　玛：我家在拉萨。过去西藏一直是农奴制社会，一九五四年进行了民主改革，奴隶们才得到解放。我的父母从前都是奴隶，要是没有民主改革的话，我哪儿能到北京来上大学呀！现在西藏的经济文化发展很快，交通也方便多了，有了青藏公路，还修了拉萨机场，坐上飞机，几个小时就到北京了。百闻不如一见，我想你们最好还是亲自去西藏看看，尝尝我们的糌粑和青稞酒。好，我说的不少了，白玉兰，该你谈谈了。

白玉兰：我是傣族，家在云南。云南少数民族最多，而且各有各的风俗习惯。由于时间的关系，我就简单谈谈傣族的泼水节吧。

汤　姆：好。

白玉兰：泼水节是我们傣族的传统节日。节日那天，人们互相往身上泼水表示祝福，还有赛龙船，好几条龙船在江上你追我赶，可有意思啦！傣族人民把孔雀当做吉祥的象征，姑娘们跳起孔雀舞，表示美好的愿望。

汤　姆：请你给我们跳一个孔雀舞好吗？

白玉兰：别忙，等她们两个介绍完了，我们一起表演几个民族歌舞。

林　青：我是壮族，叫林青，是从广西壮族自治区来的。我们壮族是个喜欢唱歌的民族，每年正月十五、三月初三、四月初八和五月十二，都要举行唱山歌的比赛活动，有男女分组对唱，也有一男一女对唱，非常热闹。

夏　岚：我叫夏岚，高山族，祖籍台湾。台湾是个美丽的宝岛，也是我的故乡，等祖国统一以后，我一定要回去看看阿里山，看看日月潭。

琳　达：我想你的愿望一定会实现。

李老师：同学们都介绍完了，现在就请她们表演民族歌舞吧。

琳　达：好。

（同学们边歌边舞，琳达、约翰和汤姆高兴地打着拍子。）

1. **轻歌曼舞话友情** qīnggē-mànwǔ huà yǒuqíng

   amid song and dance we speak of friendship

2. **舞蹈** wǔdǎo（名）

   dance

3. **一共** yígòng（副）

   altogether

   ○ 请数一数一共有多少个月饼。

   Please count how many moon cakes there are.

4. **自我** zìwǒ（代）

   self-

   ○ 请做自我检查。

   Please make a self-criticism.

5. **基本** jīběn（形）

   basic; basically

6. **训练** xùnliàn（名、动）

   training; to train

7. **尽管** jǐnguǎn（副、连）

   freely; even though, despite

   ○ 西瓜有的是，你尽管吃！

   There are plenty of watermelons. You can have as many as you want.

   ○ 尽管雨很大，我还是到他那里去了。

   Despite the heavy rain, I still went to his place.

8. **能歌善舞** nénggēshànwǔ

   to be good at singing and dancing

9. **动作** dòngzuò（名）

   physical movement

10. **考上** kǎoshàng（动补）

    to be admitted through examination

11. **继承** jìchéng（动）

    to inherit, to carry on

12. **有志者事竟成** yǒuzhìzhě shì jìngchéng

Where there's a will, there's a way (lit.: For those with a will, all can be accomplished.)

13. 蒙古包 měnggǔbāo（名）

yurt, circular tent made of skins

14. 一望无际 yíwàngwújì

endless, as far as the eye can see

15. 牧民 mùmín（名）

herdsfolk

16. 赶 gǎn（名）

to drive, to herd

○ 你会赶马车吗？

Do you know how to drive a horse cart?

○ 你追我赶

to run after one another

17. 赶上 gǎnshàng（动补）

to make it in time (for), to catch

○ 去年我没赶上回家过圣诞节。

Last year I didn't make it home in time for Christmas.

○ 不一会儿，红队就赶上了黄队。

The Red Team cought up with the Yellow Team in no time.

18. 游戏 yóuxì（名）

game

19. 肥壮 féizhuàng（形）

stout and strong

20. 季节 jìjié（名）

season

21. 丰富多彩 fēngfù duōcǎi

rich and varied, colorful

22. 摔跤 shuāijiāo（动）

to wrestle

23. 赛马 sàimǎ（动宾）

(to have a) horse race

24. 下棋 xiàqí（动宾）

to play board games (esp. Chinese chess)

25. 射箭 shèjiàn（动宾）

archery

26. 精彩 jīngcǎi（形）

brilliant

27. 错过 cuòguò（动）

to miss，to let slip

28. 葡萄 pútao（名）

grape

29. 哈密瓜 hāmìguā（名）

Hami melon—a kind of muskmelon

30. 究竟 jiūjìng（副）

after all，actually，in the end

○ 这两种牌子的自行车，究竟哪一种好？

In the end，which of the two brands of bicycles is better?

31. 好客 hàokè（形）

hospitable

32. 不管……都/还…… bùguǎn... dōu/hái

... regardless of...，still/all...

○ 不管什么馅儿的饺子，我都爱吃。

I like to eat Chinese dumplings，whatever the filling.

○ 我每天不管多忙都要浇花。

No matter how busy I am，I water the flowers every day.

33. 谚语 yànyǔ（名）

proverb

34. 耻辱 chǐrǔ（名）

shame，humiliation，dishonor

35. 一对一对的 yíduì-yíduìde

in pairs

对 duì（量）

pair

36. 指定 zhǐdìng（动）

pre-arranged；to designate

37. 小伙子 xiǎohuǒzi（名）

young fellow，kids

38. 生气 shēngqì（动）

to get angry

39. 并且 bìngqiě（连）
furthermore

40. 马鞭 mǎbiān（名）
horsewhip

41. 抽打 chōudǎ（动）
to whip

42. 挨打 áidǎ（动宾）
to be beaten or thrashed

43. 献 xiàn（动）
to offer（in tribute）

44. 哈达 hǎdá（名）
a long piece of white fabric（usually silk, used to show respect, good wishes）

45. 敬意 jìngyì（名）
respect

46. 尊贵 zūnguì（形）
respected, esteemed, honorable

47. 洁白 jiébái（形）
pure white

48. 真诚 zhēnchéng（形）
sincere, genuine

49. 美好 měihǎo（形）
happy, glorious, fine

50. 祝愿 zhùyuàn（名、动）
to wish（well）

51. 农奴 nóngnú（名）
serf, serfdom

52. 奴隶 núlì（名）
slave

53. 机场 jīchǎng（名）
airfield

54. 百闻不如一见 bǎiwén bùrú yíjiàn
to see it once is better than to hear a hundred times—seeing is believing

55. 亲自 qīnzì（副）

personally

56. 糌粑 zānbā（名）

      zanba：roasted *qingke* barley flour

57. 青稞酒 qīngkējiǔ（名）

      highland *qingke* barley wine

58. 祝福 zhùfú（动、名）

      to wish one happiness；blessing

59. 追 zhuī（动）

      to chase

60. 孔雀 kǒngquè（名）

      peacock

61. 当做 dàngzuò（动）

      to take... as, to consider... as

○ 有人把划船当做一种运动。

      Some people consider rowing as a sport.

62. 吉祥 jíxiáng（形）

      good luck

63. 山歌 shāngē（名）

      folk songs from mountain areas

64. 分组 fēnzǔ

      to divide into groups

65. 对唱 duìchàng（动）

      to sing in antiphony

66. 祖籍 zǔjí（名）

      ancestral home

67. 故乡 gùxiāng（名）

      native place, hometown

68. 打拍子 dǎ pāizi（动宾）

      to tap out the beat

专 名

1. 壮族	Zhuàngzú	Zhuang nationality
2. 赫哲族	Hèzhézú	Hezhe nationality

3. 蒙古族	Mongol (Měnggǔzú)	Mongol nationality
4. 藏族	Zàngzú	Tibetan nationality
5. 满族	Mǎnzú	Manchu nationality
6. 舒英	Shū Yīng	(name of a person)
7. 老舍	Lǎo Shě	Lao She (1899-1966)
8. 骆驼祥子	Lùotuo Xiángzi	*The Rickshaw Boy*, novel by Lao She
9. 茶馆	Cháguǎnr	*Tea House* (a play by Lao She)
10. 辽宁	Liáoníng	Liaoning Province
11. 乌云	Oyun (Wū Yún)	(name of a person)
12. 那达慕	Nàdámù	Nadam Fair, Mongolian traditional fair
13. 阿米娜	Āmǐnà	(name of a girl)
14. 阿依娜	Āyīnà	(name of a girl)
15. 新疆歌舞团	Xīnjiāng Gēwǔtuán	the Xinjiang Song and Dance Troupe
16. 天山	Tiānshān	the Tianshan Mountains (in Northwest China)
17. 克拉玛依	Karamay (Kèlāmǎyī)	Karamay (in Xinjiang)
18. 哈萨克族	Kazakzu (Hāsākèzú)	Kazak nationality
19. 库尔班节	Kù'ěrbānjié	a Kazak festival
20. 姑娘追	Gūniangzhuī	Girls Chase, a Kazak event
21. 卓玛	Zhuómǎ	(name of a girl)
22. 拉萨	Lhasa (Lāsà)	Lhasa (capital city of Tibet)
23. 青藏公路	Qīng-Zàng Gōnglù	the Qinghai-Tibet Highway
24. 白玉兰	Bái Yùlán	(name of a girl)
25. 傣族	Dǎizú	Dai (Tai) nationality
26. 泼水节	Pōshuǐjié	water-sprinkling festival
27. 广西壮族自治区	Guǎngxī Zhuàngzú Zìzhì Qū	the Guangxi Zhuang Autonomous Region
28. 夏岚	Xià Lán	(name of a girl)
29. 高山族	Gāoshānzú	Gaoshan nationality
30. 阿里山	Ālǐshān	name of a mountain in Taiwan
31. 日月潭	Rìyuètán	name of a lake in Taiwan
32. 林青	Lín Qīng	(name of a person)

语言点和练习

一、就是……也……　even if

例句：

1. 我就是知道也不告诉他。

   Even if I knew, I wouldn't tell him.

2. 他就是有钱也不会借给你。

   He wouldn't lend you any money, even if he had it.

3. 这本书太难，就是三年级的也看不懂。

   This book is too difficult to follow, even for third-year students.

4. 那个人劲儿很大，就是你们三个人也打不过他。

   That person is so strong, even the three of you（together）are no match for him.

5. 这个事儿，你就是不说，我也知道。

   As for that, I'd have known it even if you hadn't told me.

解释：

"就是……也……"是由连词"就是"和副词"也"组成的格式，"就是"表示假设和让步，整个格式带有强调的语气。

练习：

1. 用"就是……也……"完成下列对话：

   (1) 甲：明天有小雨，你还去吗？

   　　乙：去。＿＿＿＿＿＿＿＿＿＿＿＿＿＿＿。

   (2) 甲：你这儿有啤酒吗？给我喝一杯怎么样？

   　　乙：没有。＿＿＿＿＿＿＿＿＿＿＿＿＿＿。

   (3) 甲：那个姑娘真不简单！

   　　乙：是呀。＿＿＿＿＿＿＿＿＿＿＿＿没她跑得快。

   (4) 甲：那儿的葡萄可贵啦，一块五一斤，你还买不买呀？

   　　乙：买。＿＿＿＿＿＿＿＿＿＿＿＿＿＿。

2. 用"就是……也……"和指定词语造句：

(1) 星期天　　　　　　　不休息

（就是星期天，他也不休息。）

(2) 下棋　　　　　　　　不跟你下

(3) 骑马　　　　　　　　追不上他

(4) 再精彩　　　　　　　不看

(5) 他亲自来　　　　　　不去

(6) 小孩子　　　　　　　比你强

(7) 坐飞机　　　　　　　赶不上

(8) 再难　　　　　　　　要学

(9) 不舒服　　　　　　　得参加比赛

(10) 再忙　　　　　　　别错过这个机会

3. 用"就是…也…"造句。

二、尽管　as… as possible

例句：

1. 这孩子有什么错处，你尽管批评。

If the child has made a mistake, just point it out to him.

2. 你有什么想法尽管告诉我。

Just go ahead and tell me whatever is on your mind.

3. 您尽管放心，东西放在这儿丢不了。

Relax! It won't get lost if it's left here.

4. 她很注意基本训练，尽管是一个小动作也非常认真。

She practices very carefully the basic skills, paying attention to even the slightest of movements.

5. 尽管跟他谈了半天，他还是想不通。

Though they talked for hours, he's still not happy about it.

6. 尽管事情不大，可也不能马虎。

Although it's only a minor matter, one cannot be careless.

解释：

"尽管"有两个意思：①副词，表示没有条件限制，可以放心去做。后面的动词一般不能用否定式，不能带"了、着、过"（例1、2、3）。②连词，表示让步，跟"虽然"差不多（例4、5、6）。

　　本课用的是第一个意思。

練習：

1. 用副詞"盡管"完成句子：

(1) 你有什麼話＿＿＿＿＿＿＿＿＿＿＿＿＿＿＿＿＿＿。

(2) 你想買什麼＿＿＿＿＿＿＿＿＿＿＿＿＿＿＿＿＿＿。

(3) 你們想上哪兒＿＿＿＿＿＿＿＿＿＿＿＿＿＿＿＿＿。

(4) 有什麼事情，你＿＿＿＿＿＿＿＿＿＿＿＿＿＿＿＿，我一定帮你去办。

(5) 这是两千美元，你＿＿＿＿＿＿＿＿＿＿＿＿＿，要是不够，再找我要。

2. 用连词"尽管"完成句子：

(1) ＿＿＿＿＿＿＿＿＿＿＿＿＿＿＿＿＿＿，可是北京的情况我也多少了解一些。

(2) ＿＿＿＿＿＿＿＿＿＿＿＿＿＿＿＿＿，还坚持每天上班。

(3) 他们俩＿＿＿＿＿＿＿＿＿＿＿＿＿＿＿，可已经像多年的老朋友一样亲热了。

(4) 他随便跟你开玩笑，是不对。可是＿＿＿＿＿＿＿＿＿，你也不应该打他呀！

三、那还用说　of course

例句：

1. 甲：你的画儿画得不错呀！

   That picture you drew looks pretty!

   乙：那还用说！

   Of course it does.

2. 甲：这么说，你去过长城了。

   So you have been to the Great Wall, then?

   乙：那还用说！

   Why, of course!

3. 甲：看样子，你们是好朋友了。

   It would seem that you are good friends!

   乙：那还用说！

   But of course!

解释：

"那还用说"常用于对话中，有"当然如此"的意思，带有强烈的赞同或得意的语气。

练习：

1. 说出甲的话：

　(1) 甲：＿＿＿＿＿＿＿＿＿＿＿＿＿＿＿＿＿。

　　　乙：那还用说！我是在草原上长大的嘛！

　(2) 甲：＿＿＿＿＿＿＿＿＿＿＿＿＿＿＿＿＿。

　　　乙：那还用说！他的中文水平比我高多了。

　(3) 甲：＿＿＿＿＿＿＿＿＿＿＿＿＿＿＿＿＿。

　　　乙：那还用说！他比我大八岁呢。

2. 说出乙的话：

　(1) 甲：这么说，这些小说你都看过了。

　　　乙：＿＿＿＿＿＿＿＿＿＿＿＿！＿＿＿＿＿＿＿＿＿＿＿＿＿。

　(2) 甲：看来你的酒量不小哇！

　　　乙：＿＿＿＿＿＿！＿＿＿＿＿＿＿＿＿＿＿＿。

　(3) 甲：闹了半天你也会摔跤哇！

　　　乙：＿＿＿＿＿＿！＿＿＿＿＿＿＿＿＿＿＿＿。

四、……的话　if

例句：

1. 明天不下雨的话，我就去游泳；下雨的话，就不去了。

　 If it doesn't rain tomorrow, I'll go swimming. If it does, then I won't.

2. 你喜欢的话，我就送给你。

　 If you like it, I'll give it to you as a present.

3. 要是你有空儿的话，请到我这儿来一下儿。

　 When you get a moment to spare, come over and see me.

4. 你别老跟她开玩笑了，要不然的话，她该不高兴了。

　 Don't make fun of her or she'll get upset.

解释：

"的话"，助词，用在小句末尾，表示假设。"的话"可以单用（例1、

123

2)，也可以跟"要是""如果"等表示假设的连词搭配（例3），还可以和"要不然"、"要不"、"不然"等连用（例4）。

练习：

1. 用"……的话"完成下列对话：

(1) 甲：下星期我们去杭州，你去吗？

乙：_____，我一定去。

(2) 甲：这儿还有两瓶啤酒，你要吗？

乙：_____，我就要。

(3) 甲：你包的饺子好吃不好吃呀？

乙：你先尝尝，_____，就多吃，_____，就少吃。

2. 用"要是……的话"组合句子：

(1) 我去   问题早解决了

(2) 便宜   我也买几个

(3) 批评   您就批评我吧

(4) 琳达   他一定很高兴

(5) 三十人   票就不够了

(6) 不会唱   你就别唱了

(7) 做得好   下次还让你做

(8) 你猜着   就给你一块糖

3. 用"要不然的话"完成下列句子：

(1) 你得答应我的要求，_____，我就_____。

(2) 这件事你一定要告诉她，_____，她_____。

(3) 咱们打一会儿扑克吧！_____，_____。

(4) 明天你到我这儿来吧！_____，我就_____。

(5) 牧民们都很好客。他们给你吃的，你一定得吃，_____，他们_____。

(6) 一定有人告诉他了，_____，他_____。

124

五、究竟 after all

例句：

1. 他究竟来不来呀？
   Is he coming or not, after all?

2. 那件衣服究竟合适不合适呀？
   Well, does that coat fit?

3. 你们究竟谁是傣族的？
   Let's get this clear: which one of you is of the Dai nationality?

4. 究竟你去还是他去？
   So then, who is going: you or he?

5. 他们究竟还年轻，工作经验还不大丰富。
   They are still quite young, after all, and lack experience on the job.

6. 老师究竟是老师，水平就是比学生高。
   A teacher is, after all, better than a student.

解释：

"究竟"，副词，①用于疑问句，在动词、形容词或主语前边，表示进一步追究（例1、2、3、4）。②用于含有评价意义的陈述句，在谓语前边或"是"字句中，表示归根到底（例5、6）。无论是在疑问句里，还是在陈述句里，"究竟"都有加强语气的作用。与"到底"的1、3两种用法相同。

练习：

1. 说出乙要说的话：

   (1) 甲：你究竟买不买呀？

   乙：＿＿＿＿＿＿＿＿＿＿＿＿＿＿＿＿＿。

   (2) 甲：这个句子究竟对不对呀？

   乙：＿＿＿＿＿＿＿＿＿＿＿＿＿＿＿＿＿。

   (3) 甲：究竟你大还是他大呀？

   乙：＿＿＿＿＿＿＿＿＿＿＿＿＿＿＿＿＿。

2. 用"究竟"说出甲要说的话：

   (1) 甲：＿＿＿＿＿＿＿＿＿＿＿＿＿＿＿＿＿？

   乙：当然会唱了！

(2) 甲：_____？

乙：不远了，再走五分钟就到了。

(3) 甲：_____？

乙：那辆红色的汽车是我的。

六、不管　whatever，no matter what，how

例句：

1．不管谁跟她开玩笑，她都不生气。

Anyone can joke with her, and she doesn't get angry.

2．你不管学什么，都要认真。

Whatever it is you are studying, you must do it conscientiously.

3．不管节目精彩不精彩，我都要去看。

I want to see the show, whether it's good or not.

4．不管你来还是他来，我都热情招待。

I will warmly welcome whichever one of you comes.

解释：

"不管"，连词，在有疑问代词或并列短语的句子里，表示在任何条件下都不会改变结果或结论，后边有"都、也"等和它呼应。"不管"的用法和"无论、不论"相同，口语里多用"不管"。

练习：

1．用"不管"完成下列对话：

(1) 甲：汤姆也想来你这儿，你欢迎吗？

乙：_____。

(2) 甲：我不同意你跟她交往。

乙：_____。

(3) 甲：他这么忙，还坚持锻炼吗？

乙：_____。

(4) 甲：我下星期二到你那儿去，可以吗？

乙：_____。

(5) 甲：明天要是下雨的话，你还去吗？

乙：_____。

2．用"不管"完成下列句子：

126

(1) 这种菜一年四季都有，＿＿＿＿＿＿＿＿＿＿＿＿＿＿＿＿，都能买到。

(2) ＿＿＿＿＿＿＿＿＿＿＿＿＿＿＿＿＿，我也不相信。

(3) 只要是我喜欢的东西，＿＿＿＿＿＿＿＿＿＿＿＿＿＿＿，都要买。

(4) 牧民们很好客，客人来了，＿＿＿＿＿＿＿＿＿＿＿＿，都热情招待。

七、赶上　to catch

例句：

1. 我们到那儿的时候，正赶上下雪。

   We got there, just in time to catch the snowfall.

2. 他们去晚了，没赶上泼水节。

   They got there too late for the Water Sprinkling Festival.

3. 你现在去，还赶得上跟他告别。

   If you go now, you can still make it in time to say goodbye to him.

4. 离开车只有三分钟，恐怕赶不上了。

   There are only three more minutes to go before the train leaves—I'm afraid we'll miss it.

5. 我的汉语水平哪儿赶得上你呀？

   My Chinese isn't anywhere near as good as yours.

6. 他已经走远了，赶不上了。

   He's already a long way off. You'd never catch up with him.

解释：

例1和例2中的"赶上"是遇到某种情况或机会的意思。例3和例4中的"赶得上""赶不上"是"来得及""来不及"的意思。例5和例6中的"赶得上""赶不上"是"比得上（比不上）"、"追得上（追不上）"的意思。

练习：

1. 用"赶得上"或"赶不上"完成下列对话：

   (1) 甲：汽车赶得上飞机吗？

   　　乙：＿＿＿＿＿＿＿＿＿＿＿＿＿＿＿＿＿＿。

(2) 甲：飞机赶得上火车吗？

乙：＿＿＿＿＿＿＿＿＿＿＿＿＿＿。

(3) 甲：你家的生活水平赶得上他家吗？

乙：＿＿＿＿＿＿＿＿＿＿＿＿＿＿。

2．用"赶得上"填上甲的话：

(1) 甲：＿＿＿＿＿＿＿＿＿＿＿＿＿＿？

乙：你现在走，赶不上火车了。

(2) 甲：＿＿＿＿＿＿＿＿＿＿＿＿＿＿？

乙：咱们回到学校，还赶得上吃午饭。

(3) 甲：＿＿＿＿＿＿＿＿＿＿＿＿＿＿？

乙：明天到，赶不上开学了。

(4) 甲：＿＿＿＿＿＿＿＿＿＿＿＿＿＿？

乙：你马上去，还赶得上看电影。

3．用"赶上"或"没赶上"填上乙的话：

(1) 甲：你们到那儿赶上春节了吗？

乙：＿＿＿＿＿＿＿＿＿＿＿＿＿＿。

(2) 甲：你赶上看射箭比赛了吗？

乙：＿＿＿＿＿＿＿＿＿＿＿＿＿＿。

(3) 甲：你赶上参加山歌比赛了吗？

乙：＿＿＿＿＿＿＿＿＿＿＿＿＿＿。

(4) 甲：他们俩结婚你赶上了吗？

乙：＿＿＿＿＿＿＿＿＿＿＿＿＿＿。

(5) 甲：昨天下的那场雨你赶上了吗？

乙：＿＿＿＿＿＿＿＿＿＿＿＿＿＿。

八、千万　never

例句：

1．这件事儿你可千万别告诉他！

Whatever you do, don't ever tell him about this.

2．爬山的时候，你们千万要小心！

When you are climbing, for God's sake, be careful.

3．那个地方你可千万别去！

You must on no account go there.

4．这个机会你可千万别错过。

This is an opportunity you must not miss.

5. 今天可千万别下雨。

Let's hope that it would never rain today.

解释：

"千万"，副词，有"一定"、"必须"的意思，表示恳切叮嘱和强烈愿望。

练习：

1. 用"千万"完成下列句子：

(1) 这种电视机质量不好，_____！

(2) 那个地方很危险，_____！

(3) 这些话很重要，_____！

(4) 那个人不老实，_____！

(5) 他借钱老不还，_____！

(6) 这件事咱们俩知道就行了，_____！

(7) 您年纪大了，身体又不好，_____！

(8) 有什么好消息的话，_____！

2. 用"千万"和下列短语造句：

(1) 别来

(2) 收好

(3) 记住

(4) 别说

(5) 不能去

(6) 别着急

(7) 要注意

(8) 别随便吃东西

九、各……各的　each

例句：

1. 苏州园林各有各的特点。

The gardens of Suzhou are distinctive, each in its own way.

2. 他们俩各有各的想法。

They each have their own ideas.

3. 烤鸭和涮羊肉各是各的味道。

Roast duck and Mongolian hotpot each have their distinctive flavour.

4. 下完棋，他们就各回各的家了。

After the game of chess, they each went home.

5. 甲：我给你买票吧！

I'll buy your ticket for you.

乙：不用，咱们各买各的吧。

No, let's each get our own.

解释：

"各……各的"表示事物不一样或动作分别进行。这种格式中间嵌入的成分一般是及物动词，"的"后边的成分多是名词。表示动作分别进行的时候，"的"后边的成分可以省略，如"各买各的票——各买各的"、"各拿各的行李——各拿各的"、"各看各的书——各看各的"，表示事物不一样的时候，"的"后边的成分不能省略，如"各有各的道理"，不能省略为"各有各的"。

练习：

1. 用"各……各的"和适当的动词把下列词语组成句子：

(1) 刀子和叉子　　　　　　用处

(2) 面包和牛奶　　　　　　味道

(3) 汤姆和约翰　　　　　　优点

(4) 他们两个　　　　　　　打算

(5) 床和沙发　　　　　　　地方

(6) 你们　　　　　　　　　书

(7) 咱们　　　　　　　　　饭

(8) 两个人　　　　　　　　道理

2. 用"各……各的"完成下列对话：

(1) 甲：咱们是一块走，还是各走各的？

乙：＿＿＿＿＿＿＿＿＿＿＿＿＿＿＿＿＿＿，不用一块儿走。

(2) 甲：我把票都给他们买来吧！

乙：不用，让他们＿＿＿＿＿＿＿＿＿＿＿＿＿＿＿。

(3) 甲：我把菜端来，咱们一块儿吃吧！

乙：不用了，还是＿＿＿＿＿＿＿＿＿＿＿＿＿＿＿。

(4) 甲：我先帮你做，你再帮我做，好吗？

130

乙：依我说，还是＿＿＿＿＿＿＿＿＿＿＿＿＿＿＿。

（5）甲：咱俩把钱放在一块儿怎么样？

乙：别放在一块儿，还是＿＿＿＿＿＿＿＿＿＿＿＿＿＿。

听力练习

（听录音，听力问题见本书附录）

回答问题

1. 中国是不是只有一个民族？中国有多少个民族？
2. 舒英是哪个民族的？她为什么要学民族舞蹈？
3. 蒙古族住的房子叫什么？你知道是什么样子的吗？
4. 你想不想参加"那达慕"大会？为什么？
5. 阿依娜和阿米娜为什么毕业以后要回新疆去？
6. 你知道"姑娘追"是什么意思吗？你们民族有没有这种活动？
7. 民主改革以后，西藏有哪些变化？
8. 傣族的传统节日是什么？你能讲讲泼水节吗？
9. 请你讲讲壮族的传统节日三月三。
10. 请你讲讲台湾高山族的风俗习惯。

翻译练习

（英译汉，答案附本单元后）

1. the boundless sea
2. young men who are excellent dancers and singers
3. Have you ever lived in a yurt?
4. to race horses on the vast prairies
5. Do you like to watch wrestling?

6. seasonal changes

7. fat, healthy cattle and horses

8. Chinese produce is of such infinite variety.

9. the motion of rowing a boat

10. to carry on the tradition of national unity

11. dazzling performance

12. drive the cattle up north

13. the boundless Indian Ocean （印度洋）

14. One must train every morning.

15. Many of China's national minority people are natural singers and dancers.

16. Can your (younger) brother pass next year's college entrance examinations?

17. All the streets (main streets and back streets) have been swept clean.

18. What does that dance movement symbolize?

19. The young fellow came over, (horse) whip in hand.

20. Please come back by the time set.

21. His incompetence is a source of humiliation to us.

22. In China there is a proverb: Seeing is believing.

23. This vast plain is my beautiful homeland.

24. the slave society of several thousand years ago

25. Have a taste of this (Qingke) barley wine.

26. Should all people be honest?

27. He is hospitable and welcomes anyone to his home.

28. Grumpy people are not welcome!

29. The annual Spring Festival is coming.

30. I am not accustomed to pastoral life.

31. Is this game fun?

32. Do you think we'll make it in time to catch the 12:00 train?

33. The former slaves now lead a happy life.

34. There is a proverb which states: where there is a will, there is a way.

35. Such a good opportunity must not be missed.

36. He plays chess very well.

37. In Japan, there are many people who can wrestle.

38. In this sports meet there is archery, but not horseracing.

39. That folk singer is of Taiwanese origin.

40. We will divide into groups and sing in antiphony. Would you beat time for us?

41. When you visit them on New Year's, don't forget to wish good health to all the family.

42. Even if he were wrong, it would not be right for you to beat him.

43. Are there color TV sets even in the yurts?

44. Sincere good wishes for our honorable friends!

45. Though he is frequently criticized for being late, he still likes to wake up late.

46. Even when he is joking, he doesn't laugh.

47. You can choose the place.

48. in order to express my respect for him

49. The herdsmen offered her a Hada, and even invited her to eat *zanba*.

50. I can't tell who is the elder and who is the younger between the two sisters.

第 7 课

教育杂谈

教 育 杂 谈

甲：你看中国现代化建设主要靠什么？

乙：当然是要靠多出人才。

甲：可是多出人才的关键又是什么呢？

乙：要靠教育呗！教育是多出人才的关键，所以我正研究教育。

甲：研究教育？那太重要了。我倒想问问你中国最早成立的大学是哪一个大学。

乙：当然是北京大学了，已经有一百来年的历史了。

甲：那么北京大学是哪一年成立的呢？

乙：你听我慢慢说呀！清朝末年，学生上的是私塾，念的是四书五经，后来清朝几次受到外国的欺侮，才觉悟到国家受欺侮的原因是缺乏有现代科学文化知识的人才，于是开始办了"同文馆"，专门培养懂外文的翻译人才。1898 年又成立了"京师大学堂"，就是现在北京大学的前身。我祖父就进了这所学校。1905 年，清朝废除了科举制度，我祖父又被派到国外去学习修建铁路。

甲：你的祖父对中国铁路事业的贡献一定不小。

乙：那还用说。要不是我祖父，恐怕你今天还坐不上火车呢。

甲：说着说着又替你祖父吹起来了。

乙：辛亥革命以后京师大学堂的校名就改成北京大学了。

甲：听说从前北京大学有位校长姓蔡，叫……

乙：叫蔡元培，是一位著名的教育家。他当时提倡新旧思想兼容并包，对新思想的传播，起了很好的作用，广大学生也都积极参加爱国运动。在这期间中国又先后办起了一些高等学校，有著名的清华大学、师范大学等等。我父亲上的是清华大学。

甲：那是什么时候啊？

乙：我父亲是 1935 年考进清华大学的，刚上了两年，抗日战争就爆发了。清华大学和北京大学、南开大学都迁到了云南省的昆明，在那里联合起来成立了西南联合大学。我父亲就是在那儿毕业的。

甲：昆明气候好，四季如春，你小时候太幸福了。

乙：那时候啊，我还没出生呢！其实，当时西南联大的学习条件和生活条件是相当艰苦的。听我父亲说，他们上课的教室一下雨就漏。那时虽然艰苦，可是培养出不少有用的人才。1945 年抗日战争胜利以后，我父亲才回到了北京。

甲：你是在北京出生的吧？

乙：是啊。我出生的时候中华人民共和国已经成立了。我的父母常对我说："孩子啊，你可赶上好时候了。回想我们小时候，不是军阀混战，就是外国侵略，老百姓哪儿过过几天好日子啊！"

甲：咱们不是谈教育问题吗？你说到哪儿去了。

乙：别忙啊，下边就谈到教育了。解放以前，老百姓连吃饭都有困难，哪儿有钱上学呀！受教育的人是极少数。解放以后，国家安定了，中小学的教育才得到了普及，高等学校经过改革和调整也得到了发展。就拿北京来说吧，五十年代就新成立了很多高等学校，地质大学、矿业大学、航空航天大学、农业大学……都是那个时候成立的。

甲：是啊。你看，今天在各行各业工作的知识分子，大部分不都是 1949 年以后培养出来的吗。

乙：从五十年代后期开始，由于"左"的思想影响，教育事业也屡次受到政治运动的冲击。到了"文化大革命"期间，"四人帮"否定知识、取消正规的教育，中国的教育事业遭到严重破坏，耽误了一代人的成长。那时我才十六岁，就到农村劳动锻炼去了。

甲：我不是也一样吗！这不只是咱们个人的损失，也是国家的巨大损失啊。

乙：我三十岁快当父亲了才又上了大学。

甲：那是 1977 年吧？

乙：可不是嘛！幸亏打倒了"四人帮"，经过拨乱反正，教育才得到了恢复，又走上了蓬勃发展的道路。1977 年大学正式招生，我才又进了大学。

甲：这叫做"有志者事竟成"嘛。现在你的儿子多大了？

乙：今年十九了，去年高中毕业就考上了大学。

甲：他们这一代可赶上好时候了。你儿子大学毕业以后还想出国留学得个洋博士吧？

乙：那要看机会了。现在国内有很多大学也都培养硕士、博士研究生。就是出国留学，等完成学业以后还是要回国为祖国工作。说了半天，我还没问你儿子多大了。

甲：咳，十六了，刚上高中，学习不怎么样。谁知道将来考得上考不上大学呀。好在现在青年不愁没有出路。新成立的高等院校那么多，能够上个高等专科学校，学点儿就业的本领，也就可以了。

乙：谁说不是呢。现在青年不愁没出路啊。

1. **杂谈** zátán（名）

   wide-ranging discussion

2. **人才** réncái（名）

   talented person

   ○ 他是个难得的人才。

   He is a person of extraordinary ability.

   ○ 我们国家需要很多科技人才。

   Our country needs a great many of talented people in science and techonology.

3. **关键** guānjiàn（名）

   key, crux

   ○ 关键问题

   the key to the question

   ○ 关键时刻

   a critical moment

4. **倒** dào（副）

   yet, but（used in asking a question impatiently）

   ○ 都春天了，倒下起雪来了。

   It's spring already, yet it is snowing.

   ○ 别看他已经八十多岁了，身体倒很健康。

   Though he is over 80, he is very healthy.

   ○ 你倒（是）去不去啊?

   Are you going or not?

   ○ 你倒（是）快告诉我啊!

   Do tell me quickly!

5. **私塾** sīshú（名）

   small private school（old style, run by one teacher）

6. **四书五经** Sìshū Wǔjīng

   the Four Books and the Five Classics of the Confucian school

7. **欺侮** qīwǔ（动）

to bully

○ 大国不应当欺侮小国。

Big nations should not bully small ones.

○ 别受人的欺侮！

Don't allow yourself to be bullied by anyone.

8. **前身** qiánshēn （名）

predecessor

9. **科举** kējǔ （名）

imperial examination

10. **贡献** gòngxiàn （动、名）

to contribute; contribution

○ 石油工人为国家作出了很大的贡献。

The oil wrokers have made great contribution to the country.

○ 他为教育事业贡献了自己的力量。

He contributed his effort to the cause of education.

11. **要不是** yàobúshì （连）

if it were not for

12. **恐怕** kǒngpà （副）

perhaps; be afraid that

○ 已经十二点了，恐怕他不来了。

It is already 12 o'clock, I'm afraid he will not come.

○ 这孩子学习不努力，恐怕考不上大学。

The boy does not study hard, I'm afraid that he can not pass the entrance examination of the university.

13. **吹** chuī （动）

to boast

○ 他总爱吹，我不信他法文说得那么好。

He is bragging all the time, I don't lelieve he can speak French very well.

14. **提倡** tíchàng （动）

to advocate, to encourage

○ 提倡晚婚

to advocate late marriage

○ 提倡节约

to encourge frugality

140

15. 兼容并包 jiānróng-bìngbāo

        to incorporate things of diverse nature; to take in everything

16. 广大 guǎngdà（形）

        vast, numerous

    ○ 广大人民群众

        the broad masses of the people

    ○ 广大农村

        the vast countryside

17. 抗日战争 Kàngrì zhànzhēng

        the War of Resistance Against Japan (1937~1945)

18. 四季如春 sìjìrúchūn（成）

        the weather is like spring all the year round

19. 出世 chūshì（动）

        to come into the world, be born

20. 条件 tiáojiàn（名）

        condition, factor

    ○ 自然条件

        natural conditions

    ○ 有利的条件

        favorate factors

21. 艰苦 jiānkǔ（形）

        hard, arduous

    ○ 艰苦的生活

        hard life

    ○ 到最艰苦的地方去

        to go where conditions are hardest

22. 漏 lòu（动）

        to leak

    ○ 这房子漏雨。

        The roof of the house leaks.

    ○ 水壶漏了。

        The kettle leaks.

23. 培养 péiyǎng（动）

        to foster, to train

24. 回想 huíxiǎng（动）

to think back, to recall

25. 军阀混战 jūnfá hùnzhàn

        tangled fighting between warlords

26. 不是……就是…… búshì…jiùshì

        (used before two words or clauses to indicate some-
thing is either one way or the other)

○ 昨天来的不是小王就是小李。

Either little Wang or little Li came yesterday.

○ 他晚上不是看报就是看小说。

He is either reading newspapers or reading a novel in the evening.

27. 老百姓 lǎobǎixìng（名）

        ordinary people, civilians

28. 好日子 hǎorìzi

        happy and peaceful life

29. 普及 pǔjí（动）

        to popularize

○ 普及教育

        educution for all

○ 普及文化科学知识

to spread cultural and scientific knowledge among the people

30. 各行各业 gèháng gèyè

        all trades and professions

31. 屡次 lǚcì（副）

        time and again

32. 冲击 chōngjī（动）

        to pound or attack（by water or some other force）

33. 否定 fǒudìng（动）

        to negate, to deny

○ 事实否定了他的看法。

The facts have refuted his views.

○ 我们不能采取否定一切的态度。

We shouldn't be negative toward everything.

34. 取消 qǔxiāo（动）

        to abolish, to cancel

35. 正规 zhèngguī（形）

regular, normal

36. 幸亏 xìngkuī（副）

luckily, fortunately

37. 拨乱反正 bōluàn-fǎnzhèng

to bring order out of chaos; set to right things which have been thrown into disorder

38. 蓬勃 péngbó（形）

vigorous; flourishing; full of vitality

39. 留学 liúxué（动）

to study abroad

40. 出路 chūlù（名）

way out, outlet, way of making a living

41. 高等院校 gāoděng yuànxiào

universities and colleges

42. 专科学院 zhuānkē xuéxiào

colleges for professional training

43. 就业 jiùyè（动）

to get a job

44. 本领 běnlǐng（名）

ability, skill

专 名

同文馆	Tóngwénguǎn	The College of Foreign Languages
京师大学堂	Jīngshí Dàxúetáng	Capital College
蔡元培	Cài Yuánpéi	Cai Yuanpei（1868－1940）
南开大学	Nánkāi Dàxué	Nankai University
昆明	Kūnmíng	Kunming, capital of Yunnan Province
西南联合大学	Xīnán Liánhé Dàxué	the Southwest United University
地质大学	Dìzhì Dàxué	University of Geology
矿业大学	Kuàngyè Dàxué	University of Mining
航空航天大学	Hángkōng Hángtiān Dàxué	University of Aeronautics and Astronautics

语言点和练习

一、倒　on the contrary，but，yet

例句：

1. 让他这么一讲，我倒更不明白了。

   After his explanation, I became even more confused.

2. 都五月了，怎么这两天倒冷起来了。

   It's May already, but it has got even colder.

3. 这间屋子倒很干净，就是小了点儿。

   Though the room is small, it's very clean.

4. 那个地方风景倒不错，只是交通太不方便。

   The scenery in that place is very nice, but the transportation is not convenient.

5. 我倒想听听你对这个问题的意见。

   I'd like to hear what you have to say about this matter.

6. 你说你都懂，我倒要考考你，看看你是不是真懂。

   You said you knew all, but I'd like to test you to see if you really understood.

7. 他问你呢，你倒（是）回答啊！

   He is asking you, so why don't you answer him?

8. 我告诉你，你倒（是）听着啊！

   I'll tell you, but you should listen!

解释：

"倒"，副词，可以表示以下几种意思：

(1) 有"反而""反倒"的意思，如例句1、2。

(2) 表示让步，常用于前一小句，后一小句往往有"就是、可是、只是、但是"等呼应。如例句3、4。

(3) 当主语是面对对方说话时，往往有追问、催促或命令的意思，如例句5、6、7、8。

练习：

　　1．模仿例句1、2的用法，用"倒"完成句子：

　　　　(1) 上次我们请他来，他不来。这次我们没请他，＿＿＿＿＿＿＿。

　　　　(2) 我平常总听她在宿舍里唱歌，今天请她唱，＿＿＿＿＿＿＿＿。

　　　　(3) 这两天我感冒了，刚才劳动了一会儿，＿＿＿＿＿＿＿。

　　2．模仿例句3、4的用法，用"倒"完成句子：

　　　　(1) 这个菜＿＿＿＿＿＿＿＿＿＿＿＿＿＿，就是咸（salty）了
　　　　　　 点儿。

　　　　(2) 这件衣服＿＿＿＿＿＿＿＿＿＿＿＿＿，可是太贵了。

　　　　(3) A：你看了中国学生演的《茶馆》了吗？他们演得怎么样？

　　　　　　 B：他们演得＿＿＿＿＿＿＿＿＿＿＿，可惜我有很多地
　　　　　　　　 方听不懂。

　　3．模仿例句5、6、7、8的用法，把"倒（是）"添在下列句子里：

　　　　(1) 他怎么了？你快告诉我啊！

　　　　(2) 我这不是给你讲嘛！你好好听着啊！

　　　　(3) 你不是最爱吃元宵吗？这是我刚煮好的元宵，你快吃啊！

　　　　(4) 你不是说你都懂了嘛！我要出几个问题问问你。

　　4．指出下列每组里的两个句子，哪句是对的，哪句是错的：

　　　　(1) a. 这个公园很大，风景倒很好。

　　　　　　 b. 这个公园不大，风景倒很好。

　　　　(2) a. 这孩子年纪虽然小，说话倒很清楚。

　　　　　　 b. 这孩子年纪虽然不小了，说话倒很清楚。

　　　　(3) a. 今天外边风大，倒很冷。

　　　　　　 b. 今天外边风大，倒不冷。

　　　　(4) a. 这篇课文特别短，生词倒少极了。

　　　　　　 b. 这篇课文特别长，生词倒很少。

二、[整数] ＋来

例句：

　　1．他父亲大概七十来岁了。

　　　 His father is about 70 years old.

　　2．这个学校有一百来年的历史了。

　　　 This school has a history of about one hundred years.

　　3．他学过一千来个汉字了。

He has learned about one thousand Chinese characters.

4. 这个班有四十来个学生。

There are about 40 students in this class.

解释：

助词"来"用在整数（如"……十""……百""……千"等）后表示大概的数目，指比那个数目小。

练习：

1. 用"……来"完成句子：

(1) 张老师年纪不大，＿＿＿＿＿＿＿＿＿＿＿＿＿＿＿＿。

(2) ＿＿＿＿＿＿＿＿＿＿＿＿＿＿＿＿，可是身体还非常健康。

(3) 这篇文章不长，只有＿＿＿＿＿＿＿＿＿＿＿＿＿＿字。

(4) 买一个手表要多少钱？

不贵，＿＿＿＿＿＿＿＿＿＿＿＿＿＿＿就可以买一个。

(5) 约翰在中国住了＿＿＿＿＿＿＿＿＿＿＿＿＿＿＿＿，所以中国话说得很好。

2. 用"……来"回答问题：

(1) 约翰的父亲有多大年纪了？

(2) 北京离你住的城市有多远？

(3) 买一个普通的电视要多少钱？

(4) 他们班有多少学生？

(5) 这本小说有多少字？

三、要不是……　if it were not for...

例句：

1. 要不是你告诉我，我还不知道呢。

If you hadn't told me, I would not know that.

2. 要不是为了她母亲，她不会到南京去的。

If it were not for her mother, she would not go to Nanjing.

3. 要不是学了两年中文，我看不懂中文报。

If I hadn't learned Chinese for two years, I can't read Chinese newspapers.

4. 要不是你，我就摔倒了。

If it were not for you, I would have a fall.

解释：

"要不是"是连词，表示"如果不是因为"的意思，用在前一个分句，表示假设。后面表示如果不是这样，将会发生什么样的后果。

练习：

1. 用"要不是……"完成句子：

(1) _____，我不会到中国来。

(2) _____，他就摔倒了。

(3) _____，我看不懂这本小说。

(4) _____，小李上不了大学。

(5) _____，我早就回来了。

2. 用"要不是……"完成对话：

(1) A：你的钢琴弹得太好了！

   B：_____，我怎么会弹得这么好呢。

(2) A：你今天来得怎么这么晚？

   B：_____，我不会来得这么晚的。

(3) A：他的中文说得真好！

   B：_____，他恐怕连中文也不会说。

(4) A：你的病好得真快！

   B：_____，好得不会这么快。

(5) A：这本中文小说你看得懂吗？

   B：_____，我不可能看懂。

四、不怎么样　not very good

例句：

1. 我的钢琴弹得不怎么样。

   I cannot play piano very well.

2. 他的中文说得不怎么样。

   He cannot speak Chinese very well.

3. ——这个菜好吃吗？

——我觉得不怎么样。

——Is this dish delicious?

——I don't think it is very good.

解释：

"不怎么样"的意思是不太好，多用作谓语或补语。

练习：

用"不怎么样"回答问题：

1. 他写汉字写得好不好？

2. 听说你做中国菜做得很好，是不是？

3. 他唱歌唱得怎么样？

4. 昨天晚会上的节目很精彩（outstanding）吧？

5. 他的中文说得很好吧？

五、好在 fortunately；luckily

例句：

1. 他家离学校很远，好在他会骑自行车，半小时就到了。

   He lives very far from the school. Fortunately he can ride a bicycle, and get to school in half an hour.

2. 他不懂中文，好在他会英语，我们可以用英语交谈。

   He does not understand Chinese. Fortunately he understands English, and we can talk with each other in English.

3. 上海离北京很远，好在乘飞机，两小时就可以到了。

   Shanghai is far from Beijing. Fortunately we can go to Shanghai by airplane in two hours.

解释：

"好在"是副词，用在句子谓语的前面，指出在不利条件下的有利条件。

练习：

1. 用"好在"回答问题：

   （1）他病了一个多月，很多课没有学？怎么办？

148

(2) 她的小孩刚一岁，她出去工作，小孩怎么办？

(3) 小王今年中学毕业，可是他没考上大学，怎么办呢？

(4) 我要去德国开会，可是我不懂德文，怎么办呢？

(5) 他父亲的病很重，不会有危险吧？

2. 完成下面有"好在"的句子：

(1) _____，好在可以查字典。

(2) _____，好在有朋友常来照顾他。

(3) _____，好在我们可以常通电话。

(4) _____，好在他考上了一个高等专科学校。

(5) _____，好在坐火车两个小时就到了。

听力练习

（听录音，听力问题见本书附录）

回答问题

1. 中国社会主义现代化建设为什么要特别重视教育？
2. 中国最早成立的是哪一所大学？到现在有多少年的历史了？
3. 北京大学最著名的校长是谁？他对中国教育事业有什么贡献？
4. 抗日战争时期中国大学的情况怎么样？
5. 中华人民共和国成立以后中国的教育有什么变化？
6. 五十年代后期以后中国的教育事业受到了哪些破坏？
7. 中国的教育事业是什么时候开始恢复的？为什么能得到恢复？
8. 为什么说现在中国十几岁的青年不愁没出路？
9. 请你举出你所知道的中国著名大学。
10. 请你谈谈你的国家大学教育的情况。

翻译练习

（英译汉，答案见本书附录）

1. to rely on others
2. to be nurtured by the teacher
3. the key question
4. struggle arduously
5. great undertaking
6. to popularize primary education
7. The elder brother should not bully the younger one.
8. persons talented in science and techonology
9. to build the railway
10. to make great efforts
11. the delegates to participate in the meeting
12. the lofty ideal of youth
13. old moral concepts
14. This university is very famous.
15. to send Little Zhang to study abroad
16. to have made great contribution to the country
17. It's getting late.
18. to have passed the entrance examination of that university
19. Who is the president of this university?
20. He graduated from that university.
21. What counts is determination and confidence.
22. The Anti-Japanese War broke out in 1937.
23. The climate there is very good.
24. He seems to know Chinese history very well. I'd like to ask him a few questions. （use 倒）
25. It's easier said than done. （use 倒）
26. The weather there is like spring all the year round.
27. Any country which does not emphasize education cannot achieve moderniza-

tion.

28. We want to study the history and current conditions of this country.

29. I volunteer to go where condtions are hardest.

30. Now people's life is settled and peaceful.

31. I hope he will improve his attitude toward work.

32. We don't refute his views.

33. After finishing the study in the university, will he go abroad to study?

34. There are many universities and colleges there.

35. He was sick last week, now he has recovered.

36. Now we have nothing to worry about.

37. The school pays great attention to students' health.

38. I was born after the founding of the People's Republic of China.

39. This year, the number of students in this university is over ten thousand.

40. The first president of Peking University was Cai Yuanpei.

41. His son received a Ph. D. last year.

42. Owing to the "Cultural Revolution", he entered the university to study when he was thirty years old.

43. I don't like people who always brag about themselves.

44. The chimate in Kunming is very nice. It is as pleasant as spring all year round.

45. This university has trained a great number of qualified people.

46. Our country places high hopes on the young people.

47. Before liberation many people had no money to study in school.

48. Students should study hard in school.

49. We should try to develop educational undertakings in our country.

50. He was dispatched to the northwest of China to build railways.

第 8 课

在大学里

在 大 学 里

人物

方　成　男　地质学系一年级学生

朱立明　男　考古系四年级学生

江亭亭　女　中文系四年级学生

孙志远　男　数学系四年级学生

（一）
走进大学

（北京大学秋季开学的前一天，来自全国各地的新生陆陆续续来校报到。方成背着一个背包，手里提着箱子和其他行李，走进校门。）

方：请问，新生报到在什么地方？

朱：就在前面不远，我带你去吧。

方：谢谢。（边走边谈）

朱：你叫什么名字？是什么系的？刚从外地来吧？

方：我叫方成。刚从四川来，是地质学系的。我报考的第一志愿就是北大地质学系，本来怕考不上，想不到居然被录取了。

朱：祝贺你考上了第一志愿！你打算学什么专业？

方：我想学地质地震学。你是老师吗？

朱：不是。我来自我介绍一下。我叫朱立明，是考古系四年级学生。

（这时响起了广播声，是一篇迎新讲话。）

广播声：亲爱的新同学！当你接到入学通知书的时候，你的心情一定是很不平静的。这意味着你开始走入崭新的大学生活。祖国和人民送你到大学深造，

154

希望你不要辜负祖国和人民的期望，刻苦学习为人民、为祖国服务的本领，为建设社会主义祖国做出自己的贡献！

为了培养学生的各种能力，搞好学生的业余生活，促进学生的身心健康，学校里组织了各种学术社团，还有艺术团、美术社、书法社、摄影社、体育代表队等文体组织，欢迎同学们报名。我们还将经常组织时事报告会、学术讲座、科学讨论会等等。希望你积极参加这些丰富多彩的活动。

方：学校里还有这么多业余活动啊？

朱：活动多得很。你有什么业余爱好？

方：我没什么特殊的爱好，就是爱打打篮球。在中学时还是篮球队的队员呢。

朱：好极了。我也是个篮球队员，欢迎你参加我们球队。（说着说着，他们走到新生报到处。）

朱：新同学就在这儿报到。你先领一张新生入学登记表填上。还有些什么手续，他们会告诉你。对不起，我有点儿事先走了。我住 40 楼 205 号，有事尽管去找我，别客气。

方：谢谢，太麻烦你了。

（二）

在 校 园 里

（十月里的一天清晨。很多同学早早地起来锻炼身体。他们跑步的跑步，打拳的打拳。方成在校园里一边散步，一边欣赏校园的景色。朱立明正在跑步，看见方成，就停下来。）

朱：小方，你早！对这儿的生活还习惯吧？

方：很习惯。食堂的伙食不错，宿舍稍微挤一点，可是阅览室条件很好，下课以后可以去那儿学习。我特别欣赏咱们的校园，比公园还美呢！你每天早上都跑步吗？

朱：我早上常常围着湖跑，这对身体大有好处呢！你不妨也试试看。

方：好，我以后也早起跑步。

（江亭亭、孙志远看见他们在谈话，也走了过来。）

朱：让我给你们介绍一下。这是地质学系一年级新同学方成。这两位都是四年级同学。江亭亭，中文系的；孙志远，数学系的。

方：你好！你好！

江、孙：你好！

江：你一二节有课吗？

方：有。一二节是外语，三四节是物理，下午还有政治。

江：外语、政治理论课和体育是全校各系共同的必修课。现在学校采用的是"学分制"。

方："学分制"有什么好处呢？

孙："学分制"是用学分来计算学习量，在四年内念完专业教学计划所规定的学分量才能毕业。

江：个别专业也有念五年的。听说你们地质学系师资力量很强。

方：我们的老师教得很好，大部分是中年人。

朱：现在中年教师在教学、科研各方面都是骨干力量。学校里的老教授也不少，有时候也开课，但是他们更多的时间是用在带研究生和科学研究上。

江：哎呀！都快七点了。咱们只顾谈话，连吃早饭都忘了。

朱：走，咱们快吃饭去。

（大家匆匆忙忙向食堂走去。）

（三）
毕 业 之 前

（在朱立明的房间里）

方：立明，转眼你就要毕业了。你是我入学后第一个认识的同学，能不能跟我谈谈你毕业后有什么打算？

156

朱：是啊，四年的大学生活眼看就要结束了。我也正想找你谈谈呢！我打算申请毕业后去新疆工作。

方：去新疆？多远啊！你不怕艰苦？为什么一定去新疆呢？

朱：记得上二年级的时候，有位老师作了一个"丝绸之路"的考察报告，详细介绍了新疆的情况，并且鼓励我们将来去大西北参加建设。从那时候起，我就产生了开发大西北的愿望。而且，开发大西北是国家二十一世纪经济建设的重点之一，这就更坚定了我到大西北去把知识献给新疆各族人民的决心。

方：你真行！我想那儿是非常需要大学毕业生的，况且你又是学考古的，到了那儿一定可以大有作为。

朱：那里不仅需要考古工作者，而且需要各方面的人才。现在新疆在经济上、文化上还比内地落后，所以我要去那里参加少数民族地区的文化建设。

方：你说得很对。不过，你家远在山东，恐怕你父母舍不得让你去吧？

朱：是啊，我父母年纪都大了，身体也不太好，我何尝没有考虑过这个问题呢！不过，现在我放心了。这是他们的来信，昨天刚接到的。我念几句给你听听："我们支持你去新疆工作。去吧，到祖国最需要的地方去吧！新疆是广阔的天地，到那里你可以磨练自己的意志，更快地成长起来。"

方：你父母真好。我听了也很受感动。

（江亭亭、孙志远走进来）

江：你们谈什么呢？

方：我们谈自己的理想和志愿，立明给我很大的启发和教育。亭亭、志远，你们也快离开学校了。请你们也谈谈各自的志愿，好不好？

朱：志远已经报考了硕士研究生。他在数学上很有才能，应该继续深造，在学术上做出贡献。

江：志远是咱们未来的大教授、大学者啊！

孙：别拿我开心了！研究生我不过考考试试。考不上没关系，去中学教我的数学去。

朱：做一名光荣的人民教师吗？

江：现在社会上还有一些人轻视中小学的教育工作，我偏要做这个工作，而且要做一辈子。

生　　词

1. 地质　dìzhì（名）
    geology
2. 考古　kǎogǔ（名）
    archaeology
3. 数学　shùxué（名）
    mathematics
4. 来自　láizì（动）
    to come from
5. 陆续　lùxù（副）
    one after another, gradually
    ○ 不一会儿，开会的人陆续到齐了。
    People arrived one after another for the meeting.
6. 报到　bàodào（动）
    to report in（announce one's arrival）
7. 背　bēi（动）
    to carry on the back
    背包　bēibāo（名）
    knapsack
8. 报考　bàokǎo（动）
    to take an exam for, to enter oneself for an exam
9. 志愿　zhìyuàn（名）
    choice, wish
10. 居然　jūrán（副）
    unexpectedly
11. 录取　lùqǔ（动）
    to accept, to enroll
12. 入学　rùxué（动宾）
    start school, enter college
13. 地震　dìzhèn（名）
    earthquake
14. 响　xiǎng（动）

159

to sound

15. 通知书 tōngzhīshū（名）

    notification

16. 心情 xīnqíng（名）

    frame of mind, mood

17. 平静 píngjìng（形）

    calm

18. 意味（着） yìwèi（动）

    to signify

19. 崭新 zhǎnxīn（形）

    brand new

20. 深造 shēnzào（动）

    to pursue advanced studies

21. 刻苦 kèkǔ（形）

    painstaking, assiduous

22. 服务 fúwù（动、名）

    to serve（usually intransitive）；service

    ○ 为人民服务

    serve the people

    ○ 这家饭店为宾客提供第一流的服务。

    The hotel provides first-rate service for guests.

23. 社团 shètuán（名）

    associations, organizations

24. ……社 -shè（名）

    association

25. 美术 měishù（名）

    art

26. 书法 shūfǎ（名）

    calligraphy

27. 摄影 shèyǐng（名）

    photography

28. 文体 wén-tǐ（名）

    recreation and sports

29. 时事 shíshì（名）

    current events

30. 讲座 jiǎngzuò（名）

    lecture

31. 爱好 àihào（名、动）

    hobby; to like, be fond of

    ○ 我有许多业余爱好。

    I have many hobbies.

    ○ 我爱好文学，他爱好体育。

    I like literature; he is keen on sports.

32. 特殊 tèshū（形）

    special

33. ……处 -chù（名）

    place

    ○ 停车处/存车处

    car（bike）park

    ○ 秘书处

    secretariat

34. 登记 dēngjì（动）

    to register

35. 表 biǎo（名）

    form, table

    ○ 时间表

    time table

    ○ 年表

    chronological table

36. 手续 shǒuxù（名）

    procedure, formalities

37. 清晨 qīngchén（名）

    early morning

38. 打拳 dǎquán（动）

    to box（Chinese style）

39. 欣赏 xīnshǎng（名）

    to appreciate

40. 伙食 huǒshí（名）

    board, meals

41. 稍微 shāowēi（副）

slightly, somewhat

○ 现在他稍微好一点儿了。

Now he is a little better.

42. 校园 xiàoyuán（名）

campus

43. 围 wéi（动）

to surround; around

44. 不妨 bùfáng（副）

no harm to（in）

45. 物理 wùlǐ（名）

physics

46. 理论 lǐlùn（名）

theory

47. 必修课 bìxiūkè（名）

required course

48. 学分 xuéfēn（名）

marks, credits

49. 计算 jìsuàn（动）

to calculate; calculation

○ 请你计算一下，一共有多少？

Please work out how many there are.

○ 计算过程难不难？

Is the calculation difficult?

50. 量 liàng（名）

quantity, amount

○ 工作量

work load

○ 数量

quantity

51. 计划 jìhuà（名、动）

plan; to plan

○ 五年计划

five-year plan

○ 王大叔计划明年再盖一排鸡舍。

Uncle Wang plans to build another row of chicken coops next year.

162

52. 规定 guīdìng（动、名）

　　to stipulate; stipulation

53. 个别 gèbié（形）

　　individual

54. 中年 zhōngnián（名）

　　middle age

55. 骨干 gǔgàn（名）

　　mainstay

56. 带 dài（动）

　　to take

57. 哎呀 āiyā（叹）

　　Oh, dear!

58. 匆匆忙忙 cōngcōngmángmáng（形）

　　　　hurriedly

　匆忙 cōngmáng（形）

　　in a hurry

○ 她匆匆忙忙从娘家赶了回来。

　　She hurried back from her parents' home.

○ 他走得很匆忙。

　　He left in a hurry.

59. 转眼 zhuǎnyǎn（副）

　　very soon（lit: in the twinkling of an eye）

60. 眼看 yǎnkàn（副）

　　very soon

61. 申请 shēnqǐng（动、名）

　　to apply, to request; application

62. 考察 kǎochá（动、名）

　　to investigate; investigation

63. 开发 kāifā（动）

　　to develop, to open up

64. 坚定 jiāndìng（动、形）

　　to make firm; strengthened

○ 艰苦的生活反而坚定了她献身边疆的决心。

　　The hard life strengthened her resolve to devote herself to the border regions.

○ 他是个意志坚定的地质队员。

He is a steadfast member of the geological prospecting team.

65. 况且 kuàngqiě（连）

besides

66. 大有作为 dàyǒuzuòwéi

to show promise of great accomplishment

67. 舍不得 shěbude（动）

cannot bear to

68. 何尝 hécháng（副）

not that, how could（rhet.）

69. 考虑 kǎolǜ（动）

to consider

70. 放心 fàngxīn（动）

to feel relieved, to be at ease

71. 广阔 guǎngkuò（形）

vast, broad

72. 磨练 móliàn（动）

to temper, to steel

73. 意志 yìzhì（名）

determination, will

74. 成长 chéngzhǎng（动）

to grow

75. 感动 gǎndòng（动）

to move, to be moved

76. 启发 qǐfā（名、动）

inspiration; to inspire

77. 才能 cáinéng（名）

talent

78. 学者 xuézhě（名）

scholar

79. 轻视 qīngshì（动）

to underestimate, to hold in low esteem

80. 偏 piān（副）

adamant, obstinately

81. 一辈子 yíbèizi（名）

a lifetime

专　名

1. 方成　　　　　　　Fāng Chéng　　　　Fang Cheng（name of a person）
2. 朱立明　　　　　　Zhū Lìmíng　　　　Zhu Liming（name of a person）
3. 江亭亭　　　　　　Jiāng Tíngting　　　Jiang Tingting（name of a person）
4. 孙志远　　　　　　Sūn Zhìyuǎn　　　Sun Zhiyuan（name of a person）
5. 北大（北京大学）　Běi-Dà　　　　　　abbr. for Beijing University
6. 丝绸之路　　　　　Sīchóuzhīlù　　　　the Silk Road
7. 大西北　　　　　　Dà Xīběi　　　　　the Great Northwest（region of China）

语言点和练习

一、居然　unexpectedly，to one's surprise

例句：

1. 想不到一亩地居然打了一千多斤粮食。

   Whoever would have thought a single *mu* of land could yield over 1,000 jin of grain!

2. 经过技术改革，产量居然翻了两番。

   After technical advances, production actually quadrupled.

3. 才学了两年汉语，他居然能担任翻译工作了。

   After studying Chinese for mere two years, he was actually able to work as an interpreter.

4. 你在北京住了好几年，居然没去过故宫！我简直不相信。

   You lived in Beijing for so many years, yet you never once went to the Palace Museum! I simply cannot believe it!

5. 经过朋友和邻居的劝说和调解，这对小夫妇居然重新和好了。

   Their friends and neighbours having interceded, the young couple surprisingly enough made up with each other.

解释：

　　"居然"，表示后面出现的情况或结果是说话人意料不到的。"居然"一般用在主语之后。

练习：
1. 用"居然"完成句子：
(1) 老师问他一个特别难的问题，＿＿＿＿＿＿＿＿＿＿＿＿。
(2) 有志者事竟成，他克服了很多困难，＿＿＿＿＿＿＿＿＿＿＿＿。
(3) 这个小工厂才有几十个工人，设备也很差，＿＿＿＿＿＿＿＿。
(4) 一个七十多岁的老人＿＿＿＿＿＿＿＿＿＿＿，太不简单了。
(5) 这孩子才八岁，＿＿＿＿＿＿＿＿＿＿＿＿。
(6) 考试以前他一点也没准备，＿＿＿＿＿＿＿＿＿＿＿。
2. 用"居然"和指定的短语造句：
(1) 生产翻了两番
(2) 住上了漂亮的新楼房
(3) 演得那么好
(4) 考上了大学
(5) 没去过长城

二、跑步的跑步，打拳的打拳

例句：
1. 这几个孩子哭的哭、喊的喊，到底是怎么回事？

   All the kids seem to be either shouting or crying—whatever is going on?
2. 到了公园，我们爬山的爬山，划船的划船，玩得可高兴了。

   When we got to the park, some of us went climbing, others went rowing. We had a wonderful time.
3. 阅览室里，同学们看书的看书，读报的读报，写字的写字，一点声音也没有。

   In the reading room, some students were reading, others were looking at the newspapers, still others were writing. There was not a sound to be heard.
4. 他们贴春联的贴春联，挂年画的挂年画，高高兴兴地准备过春节。

   Some were pasting up Spring Festival couplets. Others were hanging up New Year pictures. They were all happily getting ready for the Lundar New Year.

166

解释:

这个格式的特点是"的"字前后的动词或动宾短语必须完全相同。描述同一时间、同一地点,各自做不同的事。

练习:

1. 用"( ) 的 ( )、( ) 的 ( )"这一句型改写:

(1) 早上在公园里,老人们有的打太极拳,有的散步,有的谈话,人人都很愉快。

(2) 在阅览室里,有人看书,有人看报,没有一个说话的。

(3) 下课以后,同学们来到运动场,有人打球,有人跑步,热闹极了。

(4) 到了颐和园,大家有的划船,有的爬山,一直玩到六点钟才回来。

(5) 下课了,学生有的擦桌子,有的擦椅子,有的扫地,一会儿就把教室打扫得干干净净。

2. 先把下列各组动词或动宾短语联成"( ) 的 ( )、( ) 的 ( )"的格式,然后造句:

(1) 哭、喊、叫　　　　　(3) 跳舞、唱歌

(2) 写信、看小说　　　　(4) 下棋、作诗、画画儿

三、不妨　might as well

例句:

1. 这个菜你没做过吗?做起来挺简单,你不妨试试看。

Have you ever made this dish before? It's easy to cook. You might as well try it.

2. 东方歌舞团表演的节目相当精彩,你要是有兴趣的话,不妨去看看。

The show put on by the Eastern (Dong Fang) Song and Dance Troupe is quite brilliant. If you're interested, why not go and see it?

3. 明天要是天气好,我们不妨骑自行车去。

If the weather is fine tomorrow, it wouldn't be a bad idea to go there by bike.

4. 打太极拳对身体很有好处,你不妨试试。

Taijiquan is very good for the health. You could give it a try.

解释：

"不妨"，表示可以做下面所说的事，这样做没有害处。往往用于一种建议，一个尚未发生的动作。"不妨"一般不能放在主语之前。

练习：

1. 用"不妨"完成下列对话：

(1) A：我从来不吃羊肉。

B：这个饭馆做的羊肉很好吃，＿＿＿＿＿＿＿＿＿＿＿＿＿＿＿。

(2) A：最近我常头疼，你说吃什么药好？

B：＿＿＿＿＿＿＿＿＿＿＿＿＿＿。

(3) A：你知道光明函授学校什么时候开学吗？

B：小李可能知道，＿＿＿＿＿＿＿＿＿＿＿＿。

(4) A：我的钢笔不见了。

B：＿＿＿＿＿＿＿＿＿＿＿＿，也许可以找到。

(5) A：报告会七点半才开始呢，现在去还早吧？

B：＿＿＿＿＿＿＿＿＿＿＿＿，可以坐在前面听得清楚些。去晚了，前面就没有座位了。

(6) A：那是个著名的大学，录取标准一定很高，我怕考不上。

B：＿＿＿＿＿＿＿＿＿＿＿＿。

2. 在下列情况下，你怎么用"不妨……"来说：

(1) 你朋友身体不太好，你建议他打太极拳。

(2) 你认为中国的布鞋穿得很舒服，你建议他买一双。

四、眼看 very soon, to see with one's own eyes, to watch helplessly

例句：

1. 暑假过得真快，眼看又快开学了。

The summer vacation goes so quickly—the new semester is practically upon us.

2. 暑假眼看就要到了，可是我的论文还没写出来呢，怎么办？

The summer vacation is almost upon us, yet I still haven't finished my thesis. What shall I do?

3. 他眼看就到三十岁了，也该找个对象了。

In no time he'll be thirty. It's high time he thought of getting married.

4. 眼看就过春节了，你女儿怎么还没回来？

Spring Festival is coming up fast. How come your daughter is still not back yet?

5. 我眼看着他走过来了，怎么又不见了。

I clearly saw him walking over—how come he's disappeared?

6. （人们）眼看着他一天天进步，真替他高兴。

Day by day he improves before your very eyes. It really makes you happy for him.

7. 咱们不能眼看着麦子被害虫吃光，快想治虫的办法吧！

The pests are eating up the wheat before our very eyes. We must think of some way to deal with them.

解释：

1. 副词，表示迫近，后面常有"就……了"、"快……了"，如例句1~4。

2. 动词，常常带"着"，表示：①亲眼看见，如例句5、6；②消极地看着，不能阻止，如例句7。

练习：

1. 用"眼看"完成句子（表示迫近）：

(1) _____，你怎么还不快准备？

(2) _____，可是我的论文还没写出来呢！

(3) 咱们还不快走，_____。

(4) 比赛_____，三号队员怎么还没来？

(5) 你快上车吧，_____。

(6) _____，怎么还没结婚？

(7) _____，你们打算到哪儿去旅游？

(8) _____，我还没买冬衣呢。

2. 下列句子里的"眼看（着）"哪些是"表示亲眼看见"，哪些有"消极地看着，没有办法阻止"的意思？

(1) 眼看着病人病得越来越重，大家一点办法也没有。

(2) 我眼看着他把字典拿走了，他怎么说没拿呢？

(3) （人们）眼看着庄稼被大水淹了，真着急啊！

(4) 我眼看着汽车开走了，就是没赶上。

(5) 他肯定来开会了，我眼看着他跟李明一块儿进来了嘛！

(6) 眼看着这孩子一天天长高了。

五、况且　besides

例句:

1. 这位老人都八十多岁了，况且又没有子女。我们应该多照顾他。
The old man is over 80, and besides, he hasn't any children. We'll have to take more care of him.

2. 路不太远，况且天气又这么好，我们就走着去吧。
It's not far, and besides, the weather's nice. Let's just go on foot.

3. 咱们是邻居，况且还是老同学，互相帮助是应该的。
We're neighbours, and furthermore, we were students together. It's natural that we should help each other.

解释:

"况且"，连词，连接分句，用来进一步说明理由。常和"又、还、也"等配合使用。

练习:

1. 用"况且"进一步说明理由:

(1) 他年纪太大了，＿＿＿＿＿＿＿＿＿＿＿＿＿，最好劝他不要去。

(2) 老李有丰富的教学经验，＿＿＿＿＿＿＿＿＿＿＿，一定能很好地完成这次教学任务。

(3) 小方在中学时就是个好学生，＿＿＿＿＿＿，学习成绩不会坏的。

(4) 那个地区经济比较落后，＿＿＿＿＿＿＿＿＿＿，应该多派大学毕业生去那里工作。

(5) 那里都是山地，气候寒冷，＿＿＿＿＿＿＿＿＿＿，所以人民生活相当艰苦。

2. 用"况且"回答下列问题:

例：问：为什么你说大学合唱队这次演出一定会获得成功？
答：大学合唱队的队员有很多是唱歌能手，况且他们又练习了好多次了，所以这次演出一定会获得成功。

(1) 他为什么申请到新疆去工作？

170

(2) 为什么我们必须重视教育工作？

(3) 你为什么要学汉语？

(4) 为什么大学生不应当辜负人民对他们的期望？

(5) 为什么逢年过节他都要去看看那位老人？

六、舍不得　**cannot bear to**

例句：

1. 她这么小的年纪就远离家乡，她母亲真有点舍不得。

   Her mother can hardly bear to let her go away so far from home at such a tender age.

2. 就要毕业了，大家真舍不得离开学校，舍不得离开老师。

   Graduation time draws near. They can hardly bear the thought of leaving the school and the teachers.

3. 在北京住了快十年了，对这里的一切都有深厚的感情，真舍不得走啊。

   Having lived here in Beijing for close on ten years, one feels deeply attached to the place, and is loath to leave it.

4. 这件漂亮的裙子是她上大学时她姐姐送她的，她一直舍不得穿，到现在还是崭新的呢。

   This beautiful skirt was a present from her sister when she started college. She could never bring herself to wear it. Even now it looks brand new.

5. 这么好的钢笔，你舍得送人吗？

   Can you bear to part with such a good pen?

解释：

"舍不得"，动词。它的宾语除了是代表人、物、地名的名词或代词外，更常见的是动词或者动词结构，有"留恋（某人、某地）、爱惜（某物）"而不愿离开或舍弃的意思。肯定形式是"舍得"。

练习：

1. 用"舍不得"完成句子：

   (1) 四年的大学生活快要结束了，＿＿＿＿＿＿＿＿＿＿＿。

   (2) 在西湖玩了一天还没玩够，＿＿＿＿＿＿＿＿＿＿＿。

(3) 那件红色的毛衣虽然漂亮，可是太贵了，＿＿＿＿＿＿＿＿＿。

(4) 因为她一直＿＿＿＿＿＿＿，所以这件衣服还跟新的一样。

(5) 他在老大爷家里住了一个多月，临走时，老大爷真＿＿＿＿＿＿。

(6) 因为那里生活十分艰苦，他母亲＿＿＿＿＿＿＿＿＿。

2. 用"舍得"或者"舍不得"完成下列对话：

(1) A：伯母，您的孙子就要到外地上学去了，您＿＿＿＿＿＿？

B：虽然＿＿＿＿＿＿＿＿，但是我还是同意让他去。

(2) A：这个日记本你还没用啊？

B：这是毕业时学校送的纪念品，所以一直没＿＿＿＿＿。

(3) A：您在西藏工作了好几年，快回北京了吧？

B：＿＿＿＿＿＿＿＿。

七、何尝　not that, how could（rhetorical question）

例句：

1. 我何尝愿意离开这里？只是因为工作的需要，不得不离开。

（我本来不愿意离开这里，……）

Who says I want to leave here? It's just that my job that demands it, so I have to go.

(I don't want to leave here, but...)

2. 我何尝不想去旅游？可是实在太忙，没时间去。

（我当然想去旅游，……）

Who says I don't want to go travelling? I'm just too busy, and haven't the time.

(Of course I'd like to go travelling, but...)

3. 他何尝不知道学习的重要性？他所以不肯用功学习，是因为怕吃苦。

Doesn't he know the importance of study? He didn't study hard because he is afraid of hard work.

解释：

"何尝"，副词，表示反问。在肯定形式前表示否定，在否定形式前表示肯定。往往带有辩解的语气。

练习：

1. 用"何尝"改成反问句：
   (1) 小李也知道他自己的弱点是怕艰苦。
   (2) 我在大学没学过汉语，我是靠自学学会的。
   (3) 我们知道工作中问题很多。
   (4) 小李也想为祖国的社会主义建设作些贡献。

2. 用"何尝"反问句式来回答：
   (1) 我们下星期去西安旅游，你为什么不参加呢？
   (2) 小李为什么不肯上业余大学？
   (3) 你去过新疆吧？看过克拉玛依油田吗？

八、偏 adamant，obstinately，to turn out contrary

例句：

1. 我们劝他不要抽烟，可是他偏不听，偏要抽。

   We've told him not to smoke, but he just won't listen, and goes right on smoking.

2. 叫他去，他偏不去。不叫他去，他偏去。

   When we ask him to go, he won't; when we don't want him to go, he goes.

3. 我们请大家保持安静，可是他偏说话。

   We've asked everyone to be quiet, but he just keeps on talking.

4. 我们刚要出去，偏偏下起雨来。

   It started to rain—just as we were about to go out!

5. 昨天晚上我去找他，他偏偏不在家。

   Last night I went over to see him—as luck would have it, he was out.

6. 今天晚会上本来想请小王表演一个节目，偏偏他没来。

   I had hoped to get Xiao Wang to give a performance during the party this evening. But he would pick this occasion not to come!

解释：

副词"偏"主要表示故意做和外界要求相反的事。这时"偏"必须用在主语后谓语前，如例句1、2、3。"偏"重叠成"偏偏"则主要表示客观事实与主观愿望或一般规律恰好相反，如例句4、5、6。"偏偏"有时也可能出现在主语前，如例句6。

练习：

1. 用"偏"完成句子：

(1) 母亲说："小海，我叫你早点去睡，你_____?"

(2) 有人说去边疆工作太艰苦，女同学最好不要去，可是_____。

(3) 医生叫他千万不要喝酒，_____。看，他果然又病了。

(4) 父亲母亲都不赞成她跟那个男朋友来往，_____。

(5) 我们请他一起去看展览，_____。

2. 用"偏偏"完成句子：

(1) 我去图书馆借那本书，_____。

(2) 我们本来打算去公园玩，_____。

(3) 我们请李教授来作报告，_____。

(4) 去长城时，我想照几张像片，留作纪念，_____，

(5) 我本来想骑自行车去，_____，只好坐汽车了。

3. 用"偏"或者"偏偏"完成对话：

(1) A：老王，我想借你的照相机用一下，可以吗？

B：真对不起，_____。

(2) A：你不是劝他不要走吗？

B：_____，有什么办法呢！

(3) A：你在内蒙古没参加"那达慕"大会吗？

B：我去的时候_____，所以错过了机会。

听力练习

（听录音，听力问题见本书附录）

回答问题

1. 方成是从哪儿来的？他为什么要报考北大地质系？
2. 方成的业余爱好是什么？你的业余爱好跟他一样吗？
3. 北京大学的校园怎么样？你的大学呢？
4. 请你谈谈大学生们早晨锻炼的情况。
5. 什么叫"学分制"？实行"学分制"有什么好处？
6. 朱立明毕业后打算到哪儿去？他为什么要去新疆？
7. 朱立明的父母同意他去吗？他们为什么同意他去？
8. 孙志远为什么要考研究生？
9. 江亭亭为什么要去当中学老师？
10. 请你介绍一下你们国家大学生的学习和生活情况。他们毕业以后都去做什么？

翻译练习

（英译汉，答案见本书附录）

1. archaeology seminar
2. Xinhua（News）Agency
3. （school）admission procedures
4. application form
5. head for where conditions are hardest
6. must further temper oneself
7. Oh dear, it's going to rain right now!
8. Another year went by in a flash.
9. to go through the formalities in a hurry
10. a love of mathematics
11. to take a walk around the lake
12. to grow up on the vast plains

13. to take delight in the beautiful landscape
14. to be engaged in recreation and sports work
15. a strong-willed person
16. to encourage him, inspire him
17. special skills
18. regulation concerning photography
19. The training of qualified teachers must be taken seriously.
20. Now the food in the college is slightly better.
21. Come and announce your arrival after receiving your notification.
22. For him, calligraphy is a hobby.
23. How do middle-aged people feel?
24. He continues to study hard.
25. The old professor really throws himself into his shadowboxing.
26. The young fellow is quite talented and is sure to make his mark on the world.
27. After further training, he has improved his teaching.
28. grew quite a few flowers on campus
29. Li Siguang was a famous Chinese geologist.
30. Relax, I'm very good at looking after kids.
31. Are all associations lawful?
32. My wish is to pursue advanced studies.
33. How come this radio's gone dead?
34. For college applications one must send in one's grade sheet.
35. The Math Department didn't offer computer courses before.
36. Are you interested in current affairs?
37. In any time left over from his painstaking research, he likes to go jogging.
38. You seem to me quite serene and calm. Were you not moved?
39. Don't you wish to devote your whole life to the service trades?
40. The material conditions there are not too good. You had best think it over a little more.
41. If you really want to serve the people, please carry these things up the mountain.
42. Oh come! He's almost 20. You don't have to worry!
43. How could I not want to join in the investigation?
44. This is not a required course. No need to concern yourself with credits.

45. Isn't it strange that one has to register just to take art!
46. I really cannot bear to make you a present of my brand new knapsack.
47. I have no idea why she insisted on applying to a school that is so far away.
48. The mineral deposits there are not easily excavable.
49. I know you are rich in experience. But there's no harm in your learning a little more about related theories.
50. Having graduated in physics, surprisingly enough he devoted his entire life to recreation and sports work!

第 9 课

中国在前进

中国在前进

(5 月 4 日王老师对留学生的一次讲话)

今天是 5 月 4 日。同学们在参观人民英雄纪念碑的时候已经知道，在 1919 年的 5 月 4 日，中国发生了一次有重大历史意义的爱国运动，那就是著名的"五四运动"。五四运动以后的几十年，中国产生了翻天覆地的变化，今天我就谈一谈五四运动以后中国所产生的变化，先从五四运动产生的背景谈起吧。

1911 年孙中山先生领导的辛亥革命推翻了腐败的清朝政府，建立了中华民国，但是这次革命并没有彻底完成反对帝国主义和反对封建主义的革命任务，而是被一些军阀篡夺了革命果实。这是为什么呢？这是因为中国的封建社会历史太长了，一共有两千多年，因此封建思想和封建文化是根深蒂固的。要彻底完成民主革命的任务，就必须先有一次冲击封建思想和封建文化的新文化运动。这样的新文化运动在五四运动之前就已经开始了。

五四运动前夕，一些思想先进的知识分子编辑出版了《新青年》杂志，在《新青年》上举起了民主和科学两面旗帜，当时陈独秀、李大钊、鲁迅、胡适都是《新青年》的编辑，他们又都在北京大学教书，《新青年》自然而然就成了新文化运动的主要阵地，北京大学也自然而然成了新文化运动的中心。新文化运动宣传民主科学的新思想和新文化，批判封建愚昧的旧思想和旧文化，启发引导人们从封建思想的束缚下解放出来。

五四运动和新文化运动是相辅相成的。新文化运动为五四运动准备了思想条件，五四运动推动了新文化运动的发展。这时中国的先进分子开始重新研究世界，不久以后中国共产党就成立了，那是在 1921 年。以毛泽东为首的中国共产党人把马克思主义思想和中国革命的具体实践结合起来，从此中国革命一天天走向胜利。经过艰苦的八年抗日战争和三年人民解放战争，终于在 1949 年成立了中华人民共和国。

中华人民共和国成立的时候中国人民可高兴了，那时候全国各地的人民群众都到大街上敲锣打鼓游行，庆祝人民革命的胜利。新中国成立以后生产发展很快，人人生活安定，社会秩序良好。遗憾的是后来被革命的胜利冲昏了头脑，以为很快就可以达到共产主义社会，出现了政策上的失误。我们知道，社会发展是有它的客观规律的，不能滞后，可也不能超前；过于急躁，就违背了客观规律。到了 1966 年，又发生了"文化大革命"，工农业生产和良好的社会秩序都遭受严重的破坏，那些年人民自然就吃了不少苦。1976 年。毛泽东去世后，他的继承人邓小平总结了过去的经验和教训，提出了建设有中国特色的社会主义的思想，为中国建设指出了一条正确的道路。

经过二十年的努力，到了 20 世纪末，中国的面貌产生了根本性的变化。生产水平和人民生活水平都已经大大提高，目前正在稳步地继续向前发展。国家的政策是允许一些地区和一部分人先富起来，带动比较贫困的地区和人民。现在还有一些地区相当贫穷落后，比如中国的西部，尤其是中国的西北地区，虽然有十分丰富的矿产和广阔的土地，但是绝大部分还没有被开发利用，人民生活水平也比沿海一带低得多。政府已经决定 21 世纪要把国家的重点建设逐步从中国的沿海地区转移到中国的西部，大力开发中国西部的资源，并且给向中国西部投资的外资企业一定的优惠条件。中国沿海一带各省市也都大力支援中国西部的开发工作。有许多青年不怕艰苦，纷纷要求到大西北去，因为他们看到了那里有广阔的发展前途。自然，中国沿海各省也还有一些地方比较贫困，政府正在调动一切力量改善这些地方人民的生活，逐步使全国人民都富裕起来。在不久的将来，这些贫困地区的人民生活一定会好起来的。

回想过去的一百年，中国从过去的半封建半殖民地的国家发展成为今天的有中国特色的社会主义国家，是经历了十分艰难曲折的道路的。中国现在的工农业生产还远远赶不上发达国家。我们必须实事求是，坚持改革开放的政策，脚踏实地地把生产建设搞上去，尽快提高人民生活水平，坚定不移地走社会主义道路。今天的中国仍然处于社会主义的初级阶段，仍然是一个发展中的国家，还要经过几十年的努力，才能达到今天先进国家的中等水平，在前进的道路上肯定还会遇到许多困难，但是我们相信，中国人民一定能够克服一切困难，不断前进，把中国建设成为一个繁荣富强的国家。

1. **重大** zhòngdà（形）

    great，weighty

○ 重大的历史意义

    of great historical significance

○ 重大的问题

    vital problem

○ 重大的损失

    heavy loses

2. **意义** yìyì（名）

    meaning，significance

○ 1949 年 10 月 1 日对中国具有伟大的历史意义。

    Oct. lst，1949 was of great historic significance of China

○ 这是一部有教育意义的影片。

    This is a very instructive film.

3. **翻天覆地** fāntiānfùdì（成）

    to turn everything upside down；world shaking

4. **而** ér（连）

    yet（it links two words or two structures opposite in meaning）

○ 这是一个伟大而艰巨的任务。

    This is a great and arduous task.

○ 北方已经很冷了，而南方还很暖和。

    It is already very cold in the north，but it is still very warm in the south.

5. **篡夺** cuànduó（动）

    to usurp，to seize

6. **果实** guǒshí（名）

    fruit

7. **根深蒂固** gēnshēndìgù（成）

    deep-rooted

8. **先进** xiānjìn（形）

    advanced

○ 先进分子

advanced element

○ 先进工作者

advanced worker

○ 先进经验

advanced experience

9. **编辑** biānjí（动、名）

to edit；editor

10. **出版** chūbǎn（动）

to publish

11. **杂志** zázhì（名）

magazine

12. **自然而然** zìránérrán（成）

naturally，automatically

13. **阵地** zhèndì（名）

position，front，battle field

14. **相辅相成** xiāngfǔxiāngchéng（成）

supplement each other

15. **推动** tuīdòng（动）

push forward

16. **重新** chóngxīn（副）

again，anew

○ 考试以前我需要把生词重新复习一遍。

I have to review the new words once again before the examination.

○ 新的一年开始要重新制定工作计划。

The new year has begun and once again we must draw up a work plan.

17. **可……了** kě…le

"可" here indicates a high degree, usually used with "了" at
the end of the sentence.

○ 他儿子学习可好了！

His son studies very well indeed.

○ 她做的这个菜可好吃了！

This dish cooked by her is really very delicious.

18. **敲锣打鼓** qiāoluódǎgǔ

play gongs and drums

19. **遗憾** yíhàn（形）

regretful; it's a pity

20. 冲昏头脑 chōnghūn tóunǎo

   turn somebody's head

   ○ 胜利冲昏头脑

   dizzy with success

21. 滞后 zhìhòu （动）

   to prevent from going forward, to keep waiting

22. 超前 chāoqián （动）

   to go before one should go

23. 急躁 jízào （形）

   impatient, irritable

24. 违背 wéibèi （动）

   to go against, to run counter to

   ○ 我们不能违背规章制度。

   We should not violate rules and regulations.

   ○ 他这样说违背了历史事实。

   What he said was against the fact of the history.

25. 总结 zǒngjié （动、名）

   to sum up; summarize

   ○ 总结经验

   to sum up one's experience

   ○ 做总结

   to make a summary

   ○ 他在会上做了一个总结报告

   He made a summary report at the meeting.

26. 稳步 wěnbù

   steadily

27. 带动 dàidòng （动）

   to bring along, to drive

28. 资源 zīyuán （名）

   natural resources, resources

29. 优惠 yōuhùi （形）

   preferential, favourable

30. 支援 zhīyuán （动）

   to support, to help

31. **改善** gǎishàn （动）

    to improve

○ 人民的生活改善了。

    People's living condition has been improved.

○ 两国的关系得到了改善。

    The relation between the two nations has been improved.

32. **逐步** zhúbù （副）

    step by step

33. **不久** bùjiǔ （副）

    soon，before long

34. **经历** jīnglì （动、名）

    to undergo；experience

35. **实事求是** shíshìqiúshì

    to seek truth from fact；be practical and realistic

36. **坚持** jiānchí （动）

    to insist on，to persist in，to adhere to

37. **脚踏实地** jiǎotàshídì

    have one's feet planted on solid ground——earnest and down to earth

38. **尽** jǐn （副）

    to the greatest extent

○ 尽早

    as early as possible

○ 尽快

    as quickly （soon） as possible

39. **坚定不移** jiāndìngbùyí

    firm and unshakable

40. **处于** chǔyú （动）

    be （in a certain condition）

○ 我们正处于一个伟大的历史时代。

    We are living in a great historical era.

41. **初级** chújí （名）

    primary，elementary

42. **阶段** jiēduàn （名）

    stage，phase

专　名

陈独秀	Chén Dúxiù	Chen Duxiu（1878～1942）
李大钊	Lǐ Dàzhāo	Li Dazhao（1888～1927）
鲁迅	Lǔ Xùn	Lu Xun（1881～1936）
胡适	Hú Shì	Hu Shi（1891～1962）
邓小平	Dèng Xiǎopíng	Deng Xiaoping（1904～1997）

语言点和练习

一、而是 but

例句：

1. 这首诗不是李白写的，而是苏轼写的。

   This poem was not written by Li Bai, but by Su Shi.

2. 有很多事情并不是学好了再干，而是边干边学。

   Many things can not be first learnt and then done, but must be learnt through doing.

3. 这不是小事，而是关系到国家前途的大事。

   This is not a minor matter, but a major issue that is of vital importance to the future of the country.

4. 这篇文章并不太难，而是太容易了。

   This article isn't too difficult, but it is too easy.

解释：

"而是"表示转折，前面常有"不是""没有"等表示否定的词语。

练习：

1. 用"而是"完成句子：

   （1）五四运动不是发生在 1929 年，＿＿＿＿＿＿＿＿＿＿＿＿。

   （2）江亭亭的志愿不是当学者教授，＿＿＿＿＿＿＿＿＿＿＿。

   （3）鸦片战争以后中国没有富强起来，＿＿＿＿＿＿＿＿＿＿＿。

   （4）近几年来，中国的大学生不是越来越少，＿＿＿＿＿＿＿＿。

（5）中国共产党并不是在五四运动以前成立的，_____。

2．用"而是"回答问题：

(1) 中华人民共和国是在 1950 年成立的吗？

(2) 蔡元培是一位经济学家吧？

(3) 五四运动是不是发生在 1929 年？

(4) 老舍先生是不是一位画家？

(5) 中国最早成立的大学是不是清华大学？

二、可……了 very

例句：

1．老张的小女儿长得可漂亮了。

Lao Zhang's young daughter is very pretty indeed.

2．那座山可高了，恐怕你爬不上去。

That mountain is very very high, perhaps you can't climb it.

3．那个小孩可聪明了。

That child is very very clever.

4．中国古代的诗可不好懂了。

The poems written in ancient China are very difficult to understand.

5．他做的菜可好吃了。

The dishes cooked by him are very delicious.

解释：

在这个句型里，"可"表示强调到了很高的程度。句子最后常带"了""呢"一类表示感叹的语气词。"可"后有时也可以带否定词（为例句4）：

练习：

1．用"可……了"回答问题：

(1) 你觉得汉字好写吗？

(2) 他喜欢唱歌，你觉得他唱得怎么样？

(3) 你到过西湖吧？那儿的风景怎么样？

(4) 你觉得这本小说有意思没有？

(5) 昨天你们看的电影好不好？

2．用下面的词组成用"可……了"的句子：

(1) 便宜 (cheap)
(2) 高兴
(3) 容易
(4) 有名
(5) 友好
(6) 重要

三、尽快 as soon as possible，as quickly as possible

例句：

1. 接到我的信以后，希望你尽快回信。

   When you receive my letter, please write back as quickly as you can.

2. 快放暑假了，学生们都希望考试完了尽快回家。

   Summer vacation is coming. The students are waiting go home quickly after the examination.

3. 领导要求小王尽快写出一份他的工作报告来。

   The leader member asked little Wang to write a report on his work as soon as possible.

4. 他的病很重，需要尽快送医院。

   He is very sick, and should be sent to the hospital as soon as possible.

5. 我要尽快（地）把这本书看完，好还给图书馆。

   I must finish reading this book as quickly as possible, so that I can return it to the library.

解释：

"尽快"是副词，表示尽量加快做某事的速度，后面有时可以加上"地"字。

练习：

1. 用"尽快"和以下的词造句：

   (1) 克服
   (2) 掌握
   (3) 解决
   (4) 提高
   (5) 达到

(6) 改善

2. 用"尽快"完成句子：

(1) 她父亲对她说："到了北京以后，_____。

(2) 这孩子病不轻，应该_____。

(3) 接到信后，请你_____。

(4) 天气冷了，要是你没有毛衣（woolen sweater）应该_____。

(5) 天快黑了，我们_____吧！

四、处于 to be in the position of

例句：

1. 现在中国的妇女和男人处于平等的地位。

   Now Chinese women are on equal footing with men.

2. 在抗日战争中，很多中国人民处于水深火热之中。

   During the Anti-Japanese war, many Chinese people lived in an abysse of suffering.

3. 他病得很重，现在正处于昏迷状态。

   He is very sick and in a coma now.

4. 我们在足球比赛中处于有利地位。

   We have the advantage in the football match.

解释：

"处于"是一个动词，表示人或事物存在于某种情况下或某种环境中。

练习：

1. 用"处于"和下面的词联成句子：

   (1) 战争

   (2) 比赛

   (3) 生活

   (4) 病

2. 用"处于"完成下列的句子：

   (1) 他的羽毛球（badminton）打得比我好，和他比赛，我总是

   _____。

   (2) 国家不分大小，都应该_____。

   (3) 在抗日战争时期，中国和日本_____。

(4) 现在全世界人口已经达到六十亿，如果不加以控制，地球将

_____。

听力练习

（听录音，听力问题见本书附录）

回答问题

1. 孙中山先生领导的辛亥革命结果怎么样？
2. 五四运动前夕，思想先进的知识分子编辑出版了什么杂志？起了什么作用？
3. 中国共产党是什么时候成立的？
4. 中华人民共和国是哪年成立的？人民群众怎样庆祝革命的胜利？
5. 中华人民共和国成立后，人民生活起了什么样的变化？
6. 1966 年中国发生了什么事情？这使人民得到什么教训？
7. 毛泽东的继承人邓小平为中国建设指出的正确的道路是什么？
8. 到二十世纪末，中国的面貌和人民生活水平有了什么样的变化？
9. 中国现在为什么要努力开发中国的西部？
10. 为什么我们说中国仍然处于社会主义初级阶段？

翻译练习

1. of great historical significance
2. a great and arduous task
3. fruit of the revolution
4. lack of experience
5. a light future
6. to publish a magazine
7. This is a long term plan.
8. We are living in the primary stage of socialism.
9. We have already solved this vital problem.

10. the deep-rooted habit

11. He is an advanced worker.

12. historical background

13. to review the new words again

14. to seek for truth

15. to sum on one's experience in the last year

16. I don't understand the situation.

17. great task

18. One should not be dazzled by success.

19. This is a very good summary report.

20. to propagate socialism

21. to arouse people's consciousness toward science and democracy

22. to improve people's lives

23. to explain in a systematic way

24. What is the distinguishing feature of this book?

25. He is not only an undergraduate, but an excellent one too.

26. Industry and commerce are flourishing in Shanghai.

27. Not every marriage is a happy one. （marriage 婚姻）

28. Under any circumstance, we should not depend on others.

29. His health is bad, therefore he was unable to work.

30. I hope that a light future is in store for you.

31. people play gongs and drums to celebrate the national day

32. This is a very instructive book.

33. earthshaking change

34. to have received great inspiration

35. I hope I can acquire a thorough understand of China.

36. His bad habits are ingrained in him. He can't change for the better.

37. His son taught in a school two years ago.

38. The old scientist's lecture greatly inspired me.

39. He improved his standard under the teacher's guidance.

40. The meeting will soon be over. There's just the summing-up to come.

41. Hurry up, or we won't to able to catch the train.

42. The work of opening up and building the northwestern region is developing step by step.

43. After the plan is drafted, we should begin to work in a down-to-earth man-

ner.

44. Reform has boosted the economy.

45. His younger brother went to the west part of China to work.

46. We must make the rural area prosperous.

47. We must accomplish the task as soon as possible.

48. May 4th Movement has great historical significance in China.

49. We are still in an elementary socialism stage.

第 10 课

暑假的旅游计划

暑假的旅游计划

（谈谈孔子和孔庙）

（学期考试刚完，张玲到留学生宿舍来看琳达。）

张玲：快放暑假了，你准备回国吗？

琳达：我打算在中国旅游。中国可以旅游的地方实在太多了，我还没有决定去哪个地方呢。

张玲：我建议你去泰山和曲阜。去泰山和曲阜不但可以欣赏美丽的景色，还可以直接了解中国古代的文化。到泰山旅游一定要爬到山顶，在山顶上住一夜，第二天早早起来看日出可有意思了。

琳达：是吗？那我一定要在泰山山顶看看日出的景色。

张玲：从泰山下来，正可以顺路到曲阜去参观孔庙。

琳达：孔庙？是不是纪念孔子的庙？

张玲：不错，你也听说过孔子吗？

琳达：听说过，我只知道孔子是中国古代一个非常重要的人物，至于他是什么样的人，我就不太了解了。

张玲：那我就简单地给你讲讲。孔子姓孔名丘，是中国春秋时代的鲁国人，鲁国就在今天的山东。两千多年以前，孔子生在今天的山东曲阜。他父母都去世很早，小时候生活很贫困；但是他特别喜欢读书，有不懂的地方就去请教别人，后来终于成了个知识渊博、思想深刻的思想家和教育家。他的思想对中国人思想的影响可大了，也影响到了其他的国家。孔子是世界上最有影响的大思想家之一。

琳达：他是不是也做过官？

张玲：他是很想做官，为的是实现他的政治理想。在春秋时代诸侯国不断互相打仗，孔子反对战争，因此一直得不到重用。孔子思想里很重要的内容是一个"仁"字。

琳达："仁"是什么意思呢？

张玲：简单地说，"仁"就是爱人的意思。孔子主张人和人之间要亲爱仁慈，和睦相处，对自己的父母要孝顺，对自己的长辈要尊敬，对自己的同辈、晚辈要宽厚。

琳达：他这想法不是很好嘛！

张玲：可是他的理想在当时根本不可能实现。他在鲁国做过个小官，鲁国的国君根本不听他的，他又周游列国，其他的国君也不接受他的意见，后来只好又回到鲁国，专心给学生讲学和研究、整理中国文化，最后死在了鲁国。他的学生把他的言论汇集成书，就是著名的《论语》，在封建时代，每个读书人都必须会背诵《论语》。

琳达：听说中国封建时代读书人在读书之前还都要先拜孔子像，是真的吗？

张玲：是这样。孔子是个大教育家，在他那个时代本来只有贵族子弟才能受到教育，可是孔子认为人人都应该有受教育的权利。他教过的学生据说一共有三千人，其中有贵族子弟，也有平民子弟。

琳达：孔子一定是个好老师。

张玲：孔子对学生的要求非常严格。他很重视教育方法，比如他说："学而时习之"，你猜是什么意思？

琳达："习"是复习的意思吧？我想这句话的意思是说学了新的知识要不断复习吧。

张玲：你还真猜对了。

琳达：不是猜的，是我听懂了这句话的意思。

张玲：再问你一句，"不耻下问"呢？

琳达：这句话我就不懂了。

张玲："耻"是指"羞耻","下问"是"问不如自己的人","不耻下问"的意思是：向不如自己的人请教并不是羞耻的事。

琳达：那就是说学习要有谦虚的态度了。

张玲：孔子的思想也有一些缺点，比如说，他在政治上维护旧的等级制度，他的教育思想轻视体力劳动。在孔子出生以后的春秋战国时期，人们的思想很活跃，除了孔子以外，出现了不少思想家，比如老子、庄子、墨子、孟子等等都是，这个时期就是后来叫做"百家争鸣"的时代。影响最深远的是由孔子思想形成的"儒家"。到汉朝初年，汉武帝认为孔子的思想对维护封建统治有好处，就特别提倡儒家思想。两千年来，儒家思想在中国一直处于统治地位，对中国人的思想产生了极大的影响。

琳达：你给我介绍了半天孔子，还没有说孔庙是什么样的呢！

张玲：你看，我本来是想和你谈谈旅游计划，可是怎么变成介绍孔子了。

琳达：这比只谈旅游计划更有意义。

张玲：孔庙就建筑在当年孔子居住的地方，大得很，分成好多院落。建筑物都是南北方向的，中间一条线是主要的建筑，其中最重要的是大成殿，是祭祀孔子的地方，里面有孔子的塑像。孔庙的前面有个亭子，据说就是当年孔子讲学的地方。

琳达：孔子死了以后是不是也葬在那里了？

张玲：孔子的墓在曲阜北门外，面积很大，种满了古树，那里就叫做"孔林"，里面还有各个时代颂扬孔子的石碑。参观孔庙的人一般也都要去孔林看看的。

琳达：太有意思了，我一定也要去看看的。

张玲：约翰和汤姆暑假回国不回国？

琳达：对了，他们要是也不回国，我一定约他们一块儿去。

张玲：你们要能一块儿去就更好了。

生　　词

1. **打算** dǎsuàn（动、名）

    to plan or intend；plan

    ○ 明天我们打算去长城。

    We plan to go to the Great Wall tomorrow.

    ○ 毕业以后你打算做什么？

    What do you intend to do after your graduation?

    ○ 暑假你有什么打算？

    What plans do you have for the summer vacation?

2. **旅游** lǚyóu（动）

    to travel

3. **泰山** Tàishān（名）

    Mount Tai in Shandong Province

4. **爬** pá（动）

    to climb

5. **山顶** shāndǐng（名）

    top of a mountain

6. **日** rì（名）

    sun

    ○ 看日出

    to watch the sunrise

7. **顺路** shùnlù（形）

    on the way

    ○ 我昨天回家时顺路看了看李老师。

    I dropped in at teacher Li's on my way home yesterday.

    ○ 到邮局去这么走不顺路。

    This is not the direct route to the post office.

8. **至于** zhìyú（连）

    as to

    ○ 我只知道他昨天走了，至于到哪里去了，我一点也不知道。

    I only know he left yesterday, as to where he went, I don't have the slightest idea.

10. 名 míng（名、动）

   name；to be named

11. 请教 qǐngjiào（动）

   to ask for advice

12. 渊博 yuānbó（形）

   broad and profound（in knowledge）

13. ······ 之一 zhīyī

   one of...

   ○ 原因之一

   one of the reasons

   ○ 中国著名科学家之一

   one of the well-known scientist in China

   ○ 百分之一

   one per cent

14. 做官 zuòguān

   to be a government official

15. 理想 lǐxiǎng（名）

   ideal

16. 重用 zhòngyòng

   to put somebody in an important position

17. 仁慈 réncí（形）

   benevolent，kindhearted

18. 和睦相处 hémùxiāngchǔ

     to live in harmory

19. 孝顺 xiàoshùn（形）

   filial（a son or daughter to his or her parents）

20. 长辈 zhǎngbèi（名）

   elders

21. 尊敬 zūnjìng（动）

   to respect

22. 同辈 tóngbèi（名）

   of the same generation

23. 晚辈 wǎnbèi（名）

   the younger generation

24. 宽厚 kuānhòu（形）

generous, honest and kind

25. 国君 guójūn（名）

sovereign of a kingdom

26. 周游列国 zhōuyóulièguó

to travel to many countries

27. 专心 zhuānxīn（形）

to concentrate on

○ 学习必须专心。

Study requires undivided attention.

○ 学生应该专心学好自己的功课。

Students should concentrate on their lessons.

28. 讲学 jiǎngxué（动）

to give lectures

○ 我们请李教授到我们大学来讲学。

We asked professor Li to give lectures in our university.

29. 整理 zhěnglǐ（动）

to put in order

○ 整理桌上的东西

to straighten out the things on the table

○ 整理屋子

to put a room in order

○ 整理书架上的书

to rearrange the books on the book-shelves

○ 整理资料

to sort out the data

30. 言论 yánlùn（名）

one's words, what one has said

31. 汇集 huìjí（动）

to collect, to compile

32. 背诵 bèisòng（动）

to recite

33. 拜 bài（动）

to make a deep bow to

34. ……家 … jiā（名）

a specialist in a certain field

○ 科学家

scientist

○ 文学家

man of letters

○ 画家

painter

○ 作家

writer

○ 教育家

educator

35. 子弟 zǐdì（名）

children, the younger generation

36. 据说 jùshuō（副）

it is said

37. 其中 qízhōng（名）

among（them, which）

○ 北京有很多有名的公园，北海公园就是其中的一个。

There are many famous parks in Beijing and Beihai park is one of them.

○ 他写过很多小说，其中有的已经翻译成英语了。

He has written many novels and some of them have been translated into English.

38. 平民 píngmín（名）

common people

39. 严格 yángé（形）

strict

○ 王老师对学生的要求很严格。

Teacher Wang is very strick with his students.

○ 他们是经过严格训练的运动员。

They are well-trained athletes.

40. 学而时习之 xué ér shí xí zhī

to practice or review time and again what one has learned

41. 不耻下问 bùchǐxiàwèn

not feel ashamed to ask people below

42. 不如 bùrú（副）

not as good as; it would be better to...

43. 谦虚 qiānxū（形）
   modest

44. 维护 wéihù（动）
   to defend, to safeguard
   ○ 维护国家主权
   to defend state sovereignty
   ○ 维护团结
   to uphold unity
   ○ 维护人民的利益
   to safeguard the people's interests

45. 百家争鸣 bǎijiāzhēngmíng（成）
   to let a hundred schools of thought contend

46. 深远 shēnyuǎn（形）
   profound and lasting
   ○ 五四运动具有深远的历史意义。
   The May Fourth Movement has profound historic significance.

47. 院落 yuànluò（名）
   courtyard

48. 建筑物 jiànzhùwù（名）
   building

49. 塑像 sùxiàng（名）
   statue

50. 亭子 tíngzi（名）
   pavilion

51. 葬 zàng（动）
   to bury

52. 墓 mù（名）
   grave

53. 碑 bēi（名）
   stone tablet

54. 约 yuē（动）
   to make an appointment, to invite in advance
   ○ 我约他明天去看电影。
   I invited him to see a movie tomorrow.

专 名

1. 孔庙　　Kǒngmiào　　Confucian Temple
2. 泰山　　Tàishān　　Mt. Tai in Shandong Province
3. 曲阜　　Qūfù　　a county is Shandong Province
4. 鲁国　　Lǔguó　　a kingdom in the Spring and Autumn Period
5. 论语　　Lúnyǔ　　*The Analects of Confucius*
6. 老子　　Lǎozǐ　　Lao－Tzu, named Li Er（李耳）, founder of the Taoist school of thought
7. 庄子　　Zhuāngzǐ　　Chuang-Tze（C. 369 B. C～286 B. C.）
8. 墨子　　Mòzǐ　　Mo－Tzu（C. 470～391 B. C）
9. 孟子　　Mèngzǐ　　Mencius（C. 372～289 B. C）the Confucian school
10. 儒家　　rújiā　　the Confucian school

语言点和练习

一、至于 as to…

例句：

1. 我只知道他姓张，至于他叫什么名字我就不太知道了。

   I only know his surname is Zhang. As to his full name, I don't konw very well.

2. 他是北京大学的学生，至于他是哪个系的学生，我也不知道。

   He is a student of Peking University, as to in which department he studies, I don't know either.

3. 我知道孙中山这个名字，至于他是个什么样的人我不太了解。

   I know the name of Sun Yat-san, but I don't know what kind of a man he was.

解释：

这里"至于"是连词，表示说完前面的话以后又提出另一个有关的话题，后面再加以论述。

练习：

用"至于"完成下面的句子：

1. 他家住在上海，_____。

2. 听说五四运动是中国人民的一次爱国运动，_____。

3. 听小王说他要到国外去学习，_____。

4. 我想放了暑假出去旅游，_____。

二、为的是 in order to

例句：

1. 大家正在排练节目，为的是在迎接国庆。

   We are rehearsing performance in order to celebrate the National Day.

2. 他每天跑步为的是坚持锻炼。

   He goes for a run every day in order to take regular exercise.

3. 每个人都努力工作，为的是实现祖国现代化。

   Everybody works very hard in order to realize the modernization of our nation.

解释：

"为的是"表示目的，和"为了……"意思相同，但是"为了"常用在第一个分句之前，而"为的是"常用在第二分句的前面。

练习：

1. 用"为的是"完成句子：

   (1) 孔子周游列国，_____。

   (2) 约翰每天要看看中文报，_____。

   (3) 他冬天也坚持游泳，_____。

   (4) 他们想去参观中国历史博物馆，_____。

   (5) 琳达在泰山早早地起来，_____。

2. 把下面的句子改成"……，为的是"这一句型。

   (1) 为了学好中文，约翰到中国来了。

   (2) 为了告诉老师她在中国旅游的经过，琳达给老师写了一封信。

   (3) 为了增加生产改善生活，他们村子里种了很多果树。

   (4) 为了看懂没学过的词，他常去查字典。

三、据说 it is said

例句：

1. 据说西湖又叫西子湖。

   It is said that the other name of the West Lake is Xizi Lake.

2. 据说西施是中国古代一位特别美丽的女子。

   It is said that Xishi was an extremely beautiful girl in ancient China.

3. 这首诗据说是李白写的。

   It is said that this poem was written by Li Bai.

4. 这座山上的庙据说是五百多年前盖的。

   The temple on this mountain was allegedly built more than 500 years ago.

解释：

"据说"是副词，是"根据别人说"的意思。它本身不能有主语，常用在句子的开头，或用在句子的主语的后面。

练习：

用"据说"回答问题：

1. 这座庙是什么时候修建的？
2. 端午节中国人吃粽子，这是为什么？
3. 孔子教过多少学生？
4. 这首诗是谁写的？
5. 孔子讲学的地方在哪儿？

四、不如 not as good as; it would be better to...

例句：

1. 我的中文不如约翰。

   As far as Chinese is concerned, I am not as good as John.

2. 约翰不如他弟弟聪明。

   John is not as intelligent as his younger brother.

3. 与其去中山公园不如去北海公园。

   It would be better to go to Beihai park than to Zhongshan park.

解释：

　　"不如"是"比不上"（be not as good as）的意思。（如例子 1、2）。如果是比较两种做法常用"与其……，不如……"这种句式。（如例句 3）

练习：

　　用"不如"完成句子：

1. 我的健康情况＿＿＿＿＿＿＿＿＿＿＿＿＿＿＿＿＿＿＿＿。
2. 小王跑得特别快，小李＿＿＿＿＿＿＿＿＿＿＿＿＿＿＿＿＿。
3. 快放暑假了，与其回家住＿＿＿＿＿＿＿＿＿＿＿＿＿＿＿＿。
4. 这本小说＿＿＿＿＿＿＿＿＿＿＿＿＿＿＿＿＿。
5. 这所中学＿＿＿＿＿＿＿＿＿＿＿＿＿＿＿，你还是上那所中学吧！
6. 这个工厂生产的鞋虽然便宜，但是＿＿＿＿＿＿＿＿＿＿＿。

听力练习

（听录音，听力问题见本书附录）

回答问题

1. 琳达暑假打算做什么？张玲对她提出什么建议？
2. 孔庙是纪念谁的庙？在什么地方？
3. 为什么说孔子是中国古代一位大教育家？
4. 谈谈孔子的一生和他在政治方面的主张。
5. 孔子主张的"仁"是什么意思？为什么在当时不能实现？
6. 《论语》是一部什么样的书？
7. "学而时习之"和"不耻下问"是什么意思？
8. 孔子的思想有什么缺点？
9. 后来人们为什么把春秋战国时期叫做"百家争鸣"的时期？
10. 简单说说孔庙是什么样子的。

1. during summer vacation
2. travel itinerary
3. visiting a place while on the way
4. doing research on Chinese cultural history
5. as for his opinion
6. a relatively poor and difficult life
7. seeking advice from other colleagues
8. finally succeed
9. a profound knowledge of history and geography
10. A dream came true.
11. to be appointed to a key position
12. to get along harmoniously with one's neighbor
13. to be filial to one's parents, and respect teachers and elders
14. to be generous in dealing with people
15. not convinced at all
16. to travel to different countries
17. to worship Confucius
18. absolutely never heard of
19. youngster from a noble family
20. during the times of Confucius
21. opportunity of going to school
22. Among them there were foreign students.
23. It was said that he attended college before.
24. strictly require students
25. Please take a guess.
26. with extremely humble manner
27. the period when a hundred of schools of thought prevailed
28. to uphold the social estate system
29. to have no impact on the ruling class
30. to promote Confucian thoughts
31. Confucian Temple that was built to face the south

32. How large is the area of the Confucian garden-estate?
33. to be in a ruling position
34. the stone tablets that were erected to glorify Confucius throughout dynasties
35. the pavilion in which Confucius used to give his lectures
36. He drew a very vivid analogy.
37. I am not quite sure that I understand what he meant.
38. In order to put his political ideal into practice, he made trips to different countries.
39. In feudal society, everyone must recite the *Analects of Confucius* by heart.
40. After having studied diligently, he finally became an extremely knowledge-able scholar.
41. Please briefly talk about the life of Confucius.
42. After all, is there any possibility that her ideal can be realized?
43. Because he opposed to using forces, he was not appointed to a strategically important office by the ruler.
44. It has nothing to do with shame if someone asks a junior for help.
45. This building covers a large area, and contains many courtyards.
46. I still do not understand this sentence completely, but I can guess.
47. In recent years, more and more foreigners came to visit the Temple and the Garden of Confucius.
48. As soon as summer vacation begins, that American student will be ready to go home.
49. In addition to Confucius, Mencius was also highly regarded among the thinkers in the intellectual history in China.
50. Emperor Wu of the Han Dynasty had found that the Confucian thinking could benefit the feudal rule.

附　录

翻译练习答案

第一课

1. 我家的院子
2. 楼房
3. "打扰了!""哪儿的话!"
4. 去年的洪水
5. 盖一座三层的楼房
6. 凉快的晚上
7. 请便吧。
8. 我卖农产品的钱
9. 租一辆汽车
10. 种粮食的人
11. 几乎毕不了业
12. 受到很大的损失
13. 盖一个做拖拉机的工厂
14. 一连三年的自然灾害
15. 说话很厉害
16. 承包这座旅馆的建筑工程
17. 搞好生产
18. 搞多种经营
19. 三年级的学生们学到了许多新名词。
20. 那时,农民的生活很苦。
21. 这块耕地的所有权
22. 村里的农科站
23. 我们去年种的麦子
24. 哪个村子连续三年超产?
25. 提高麦子的出产量
26. 每人的平均占有量
27. 把土地包给别家耕种
28. 向政府承包了十亩田
29. 一定数量的农产品
30. 中国农村的经济及社会状况
31. 很有干劲儿的人
32. 学习农业科技
33. 养活儿女
34. 王大叔都快八十岁了,可是他还帮着种田。
35. 他们得把一部分新收的粮食卖给政府。
36. 他把这个村子里的拖拉机一一检修了一遍。
37. 这个农科站常常请大学的教授来演讲。
38. 自从他开始用科学方法来种西瓜,西瓜的产量增加了一倍。
39. 他们两个人跑得几乎一样快。
40. 现在农民有了他们自己的农田,加上农科站的帮助,他们的生活比以前好多了。
41. 因为有肥沃的土地,加上农民的干劲很高,这个生产队年年超产。
42. 他算是我们班上学习成绩最好的学生。
43. 今天下午热得很,我希望快点儿下雨。
44. 这几年来农民的生活安定得很。
45. 这本书就内容来看,很值得一读。
46. 就他的健康状况来看,再工作十年八年肯定不成问题。
47. 王家用节省下来的钱买了一台新拖拉机,这样一来,他家的粮食产量增加了很多。
48. 要想把全中国的风景名胜都游览一遍,不用说,得用很多时间。
49. 这里晒得很,我们进去休息吧。
50. 他们厂里的工人边工作边学习,技术一天比一天好了。

第二课

1. 很吸引人
2. 落后的国家

214

3. 问题很严重。
4. 可怜的孩子!
5. 规模很大。
6. 服装展览
7. 进口机床
8. 氢弹的制造
9. 吸引人的座谈会
10. 受到观众的批评
11. 调整经济政策
12. 修理自行车
13. 搬到内地去
14. 实际上品种很多。
15. 得到了满足
16. 先进的帮助落后的。
17. 轮渡方便还是过桥方便?
18. 把李白的诗抄在日记本上
19. 他的思想太落后了。
20. 展销会什么时候开幕?
21. 架桥的专家
22. 大庆油田产油的质量
23. 超过了货运的增长速度
24. 全面发展国防工作
25. 去西藏的路险极了。
26. 电子工业很先进。
27. 山谷里有个村子。
28. 去年的粮食出口量超过进口量。
29. 农作物的品种
30. 制造人造地球卫星
31. 满足不了市场的需要
32. 你不要拖我的后腿。
33. 展销会里非常挤。
34. 那种衣服不好看。
35. 无论男女老少,谁不喜欢玩啊?
36. 不用说,我们的汽车工业和先进国家相比,还落后得很。
37. 就产品的质量来讲,目标是要提高到世界先进水平。
38. 美国专家边做边给工人们讲解。

39. 在一个工业先进的国家致富容易吗?
40. 怪不得他们的干劲那么大。
41. 科学的管理不但不会拖生产的后腿,而且还能促进生产。
42. 这场战争造成的损失是非常严重的。
43. 这班车直达香港。
44. 中国的交通事业还不够发达。
45. 那时候,我们在政策上有些问题,影响了群众的积极性。
46. 按照王经理的看法,无论哪个车间的工人,都要做到不仅完成工作任务,而且保证产品质量。
47. 新油田差不多都在沿海地区。
48. 那个公园既没有山,又没有水,实在没有什么可吸引人的。
49. 现在,农村里盖新房的很多,可见农民生活水平有了很大提高。
50. 有不少国家能生产丝绸了,不过他们的花色品种还比不上中国的。

第三课

1. 北京的商业中心
2. 我父亲在商业界工作。
3. 中国的交通现状
4. 我们刚才所看到的
5. 必须强调产品的质量。
6. 商店的商品供不应求。
7. 改变自己的态度
8. 强调科学的重要
9. 造成很大的损失
10. 效果不大
11. 在发展的过程中
12. 针对这种情况
13. 城里最繁华的街道

14. 上海的农贸市场

15. 现代化的商业大楼

16. 外来的奢侈品

17. 他的文化程度相当高。

18. 对他的工作很满意

19. 百货商店里有很多买东西的人。

20. 看得出她是从英国来的。

21. 要求退钱

22. 买一些新鲜青菜

23. 私人企业

24. 不耐心的女售货员

25. 给他解释一下

26. 先试行再推广

27. 效果很好。

28. 商店的经理

29. 利润比以前多三倍

30. 简直没有一点用

31. 简直是一个艺术品

32. 这件商品不能白送。

33. 两国间的友好关系

34. 这家百货商店里一定有你要的化妆品。

35. 到各处走走，也可增加一些见闻。

36. 我们当前的任务很重，而时间又很紧迫，所以我们必须有足够的决心和信心。

37. 他所想到的我们都没想到。

38. 总而言之，任何一个国家，要是不注重教育，就不能达到现代化。

39. 农民把大量的农产品运到城里去。

40. 这两国的关系有了一些改善。

41. 篮球，排球，足球……，总而言之，各种球类运动他都喜欢。

42. 今天我们非把这个技术上的难题解决不可。

43. 不能希望人们把旧观念一下子都改了。

44. 我们将针对二年级的需要来编这套

216

教材。

45. 因为天气的关系，飞机起飞晚了一小时。

46. 那三个学院合并成了一个大学了。

47. 这个合同不针对任何第三者。

48. 这星期简直没有一个好天。

49. 农民向大家赠送新鲜青菜。

50. 交通与通讯和工业与商业的发展有直接的关系。

第四课

1. 浇花的时候

2. 明天是圣诞节。

3. 富国强兵的主张

4. 端午节的来历

5. 灯笼一般是圆的。

6. 奖你一张年画

7. 舞狮子的风俗

8. 哟！你们是亲戚啊！

9. 灯笼是用竹子做的吧？

10. 我也不知道。下次我数一数。

11. 大家都出去赏月

12. 庆祝十月一日（国庆节）

13. 你有没有他的消息？

14. 为了一家人的团圆

15. 你说话像外地人。

16. 中国人怎么庆祝春节？

17. 大街小巷都挤满了人。

18. 车上的东西都撒在地上了。

19. 唉！我给你挂上去。

20. 去给张老师拜年

21. 我们晚上十点钟离开张老师家。

22. 还需要改进

23. 我反正挂不上去。

24. 把年画贴在墙上

25. 正月初一的早晨

26. 他们爱吃月饼。
27. 按照传统的办法做
28. 你不用赶回来。
29. 来! 我给你说一个谜语。
30. 噢，元宵是糯米面做的啊!
31. 人们常说"每逢佳节倍思亲"——圣诞节的时候你也想家吧?
32. 赛龙船的时候，每条船上有多少人?
33. 天晚了，我们该走了。
34. 你怎么连挂灯笼都不会!
35. 他头一个赶回来过新年。
36. 至于耍龙灯象征什么，我就不知道了。
37. 据说龙是古老中国的象征。
38. 他说他不喜欢吃甜的，可刚才他吃了很多巧克力。
39. 头几次，你不一定能做好。
40. 你明明知道他不会游泳，为什么还让他去游呢?
41. 还是李华行! 连苏轼的词都看得懂。
42. 请你尽可能早点儿把春联贴上去。
43. 据说，因为父母反对他们结婚，她后来投江了。
44. 我这就去煮饺子。
45. 这个风俗据说是从汉朝开始的。
46. 这饺子馅儿里有虾，可好吃啦!
47. 到底还是名牌的好!
48. 巧克力可甜啦!
49. 咱们先打扫打扫院子，然后再出去拜年吧。
50. 明明是个好消息，可她知道以后，不但不高兴，反而哭了。

第五课

1. 招待客人
2. 这点小事就别麻烦他了。
3. 我可以再去一次，好在路不远。
4. 新婚夫妇
5. 领退休金
6. 他是一个独生子。
7. 这件事谁在管呢?
8. 她已经大学毕业了。
9. 现在，搞科研工作的有很多是年轻人。
10. 恐怕要下雨了。
11. 对退休老人十分关心
12. 选出一位代表
13. 积极争取主动
14. 过着幸福的生活
15. 美满的婚姻
16. 我们把所有的东西都准备好了。
17. 美国的外交事务由国务卿处理。
18. 正在闹离婚的夫妇
19. 喜新厌旧的人
20. 不是一件大不了的事
21. 解决一个矛盾
22. 不喜欢做家务事
23. 改正错误
24. 不怕批评的人
25. 退休工人
26. 退休年龄
27. 陪一个人到工厂去
28. 这个城的居民
29. 现在不少农民的生活相当富裕。
30. 他又重新讲了一遍。
31. 她穿着一件普普通通的蓝衣服。
32. 谢谢你们的热情招待。
33. "你对我们帮助很大。" "哪里! 哪里!"
34. 你既然已经表示了决心，我们就要看你的行动了。
35. 麻烦您把这本书带给李先生。
36. 工厂领导号召青年工人钻研技术。

37. 要把商店搞好，非得改变我们的经营思想才行。
38. 重男轻女是封建思想。
39. 孩子们不但父母要管，学校也要管。
40. 他已经二十八岁了，还没有对象呢。
41. 把窗户关上吧！恐怕夜里要刮风。
42. 你们现在才去，恐怕赶不上火车了。
43. 老师关心地问学生在学习上是否有困难。
44. 逛公园，看京剧都是很好的娱乐。
45. 中国人民和世界各国人民的交往越来越多了。
46. 学校关心所有学生的学习、身体和思想状况。
47. 中国的工厂不但重视男工，并且也重视所有的女工，他们不再重男轻女了。
48. 他的思想充满了矛盾。
49. 我们必须重视科技，要不然社会就不能进步。
50. 不管多忙，每天晚上我都想办法学一小时外语。

第六课

1. 一望无际的大海
2. 能歌善舞的小伙子
3. 你住过蒙古包吗？
4. 在辽阔的草原上赛马
5. 你喜欢不喜欢看摔跤？
6. 季节性的变化
7. 肥壮的牛马
8. 中国的产品真是丰富多彩！
9. 划船的动作

10. 把民族团结的传统继承下来
11. 丰富多彩的表演
12. 把牛群赶到北方去
13. 一望无际的印度洋
14. 每天早晨要参加训练。
15. 中国的少数民族大都能歌善舞。
16. 你弟弟明年能不能考上大学？
17. 大街小巷都打扫干净了。
18. 这种舞蹈动作表现的是什么？
19. 小伙拿着马鞭走了过来。
20. 请在指定的时间赶回来。
21. 他的无能是我们的耻辱。
22. 中国有一句谚语：百闻不如一见。
23. 这辽阔的平原，就是我美丽的故乡。
24. 几千年以前的奴隶社会
25. 请你尝尝这种青稞酒。
26. 人都应该真诚吗？
27. 他是个好客的人，谁到他家去他都欢迎。
28. 爱生气的人，不受欢迎。
29. 一年一度的春节快到了。
30. 我过不惯牧区的生活。
31. 这种游戏好玩不好玩？
32. 你看还能赶上 12：00 的火车吗？
33. 过去的农奴，现在生活得很幸福。
34. "有志者事竟成"是一句谚语。
35. 这么好的机会，一定不能错过。
36. 他下棋下得很好。
37. 在日本，会摔跤的人很多。
38. 这次运动会，有射箭，可是没有赛马。
39. 那个唱山歌的人，祖籍是台湾省。
40. 我们分组对唱，你给我们打拍子，好不好？
41. 拜年的时候，别忘了祝他们全家身体健康。
42. 他就是有错，你打他也是不对的。

43. 连蒙古包里也有彩色电视吗？

44. 向尊贵的朋友表示真诚的祝愿

45. 尽管他常常因为迟到挨批评，他还是喜欢睡懒觉。

46. 他就是开玩笑的时候也不笑。

47. 地点由你来决定好了！

48. 为了向他表示我的敬意

49. 牧民向她献上哈达，并且还请她吃糌粑。

50. 我看不出来她们俩谁是姐姐，谁是妹妹。

第七课

1. 依靠别人

2. 在老师的教育下

3. 关键问题

4. 艰苦奋斗

5. 伟大的事业

6. 普及小学教育

7. 哥哥不应该欺侮小弟弟。

8. 科技人才

9. 修建铁路

10. 做出很大的努力

11. 参加会议的代表

12. 年轻人的伟大理想

13. 旧道德观念

14. 这所大学很著名。

15. 派小张出国学习

16. 对国家贡献很大

17. 时间不早了。

18. 考上了那个大学

19. 这个大学的校长是谁？

20. 他是那个大学毕业的。

21. 关键在于有决心和信心。

22. 抗日战争是一九三七年爆发的。

23. 那里气候很好。

24. 他好像很懂中国历史，我倒要问他几个问题。

25. 你说得倒容易，做起来就不那么容易了。

26. 那里的气候一年四季如春。

27. 凡是不重视教育的国家，都不可能搞好现代化。

28. 我们要研究这个国家的历史和现状。

29. 我愿意到最艰苦的地方去。

30. 现在人们都过着安定的生活。

31. 我希望他改进对工作的态度。

32. 我们不否定他的看法。

33. 他大学毕业以后，要不要去国外留学？

34. 现在那里的高等学校很多。

35. 上星期他病了，现在已经恢复健康了。

36. 现在我们什么都不愁。

37. 学校特别关心学生们的健康。

38. 我是中华人民共和国成立以后出世的。

39. 今年这所大学的学生已经超过了一万人。

40. 北京大学的第一位校长是蔡元培。

41. 他儿子去年得了博士学位。

42. 由于"文化大革命"，他三十岁时才进大学学习。

43. 我不喜欢那些爱吹的人。

44. 昆明的气候很好，可以说是四季如春。

45. 这个大学培养了不少人才。

46. 我们国家对青年抱很大的希望。

47. 解放前很多人没有钱去学校学习。

48. 学生在学校应该努力学习。

49. 我们要努力发展我国的教育事业。

50. 他被派到中国西北部去修铁路。

219

第八课

1. 考古学讨论会
2. 新华社
3. 入学的手续
4. 申请表
5. 到最艰苦的地方去
6. 还需要继续磨练自己
7. 哎呀！眼看就要下雨啦！
8. 转眼又是一年过去了。
9. 匆匆忙忙地办手续
10. 对数学的爱好
11. 在湖边散步
12. 在广阔的平原上成长
13. 欣赏这美好的景色
14. 从事文体工作
15. 意志坚定的人
16. 鼓励他，启发他
17. 特殊的本领
18. 关于摄影的规定
19. 千万不可轻视师资培训工作。
20. 现在，学校的伙食稍微好了一点。
21. 收到通知书就来报到。
22. 对他来说，书法是一种爱好。
23. 中年人的心情怎么样？
24. 他继续刻苦学习。
25. 老教授打拳打得很带劲儿。
26. 这小伙子很有才能，一定会大有作为。
27. 经过深造，他的教学水平有所提高。
28. 在校园里种了不少花
29. 李四光是中国有名的地质学家。
30. 你放心，我很会带孩子。
31. 各种社团都合法吗？
32. 我的志愿是继续深造。
33. 这架收音机怎么不响了？
34. 报考大学，要把成绩表寄去。
35. 数学系从前没有计算机课。
36. 你关心时事吗？
37. 刻苦研究之余，他喜欢跑步。
38. 我看你心情很平静，你没受感动吗？
39. 你不想做一辈子服务工作吗？
40. 那里的物质条件不太好，你最好再考虑考虑。
41. 你要是真想为人民服务，就请你把这些东西背到山上去！
42. 哎呀！他都快二十了，你怎么还不放心！
43. 我何尝不希望参加这次考察？
44. 这不是必修课，不必考虑学分。
45. 上美术课居然还要登记！
46. 我真舍不得把我那个崭新的背包送给你。
47. 不知道她为什么偏要报考那么遥远的学校。
48. 那里的矿藏不易采掘。
49. 我知道你经验丰富，可是你不妨再研究研究有关方面的理论。
50. 他从物理系毕业以后，居然做了一辈子文体工作！

第九课

1. 有重大的历史意义
2. 伟大而艰巨的任务
3. 革命的果实
4. 缺少经验
5. 光明的前途
6. 出版一本杂志
7. 这是一个长远的计划。
8. 我们正处在社会主义的初级阶段。

9. 我们已经解决了这个重大的问题。

10. 根深蒂固的习惯

11. 他是个先进工作者。

12. 历史背景

13. 重新复习生词

14. 寻求真理

15. 总结去年的经验

16. 我不太了解情况。

17. 伟大的任务

18. 不要被胜利冲昏了头脑。

19. 这是一个很好的总结报告

20. 宣传社会主义

21. 启发人民对科学和民主的认识

22. 改善人民的生活

23. 系统地说明

24. 这本书有什么特点?

25. 他不仅是个大学生,而且还是个优秀的大学生呢!

26. 上海的工业和商业都很发达。

27. 不是所有的婚姻都是幸福的。

28. 在任何情况下我们都不能依靠别人。

29. 他的身体不好,因此不能工作。

30. 我希望你有个光明的前途。

31. 人民敲锣打鼓庆祝国庆节

32. 这是一本有教育意义的书。

33. 翻天覆地的变化

34. 受到很大的启发

35. 我希望彻底地了解中国。

36. 他的坏习惯已经根深蒂固,不好改了。

37. 他的儿子两年前在一个学校教书。

38. 老科学家的报告给我很大启发。

39. 在老师的指导下,他的水平提高了。

40. 会开完了,只是还没有总结。

41. 快点走,否则就赶不上火车了。

42. 西北地区的开发和建设工作正在逐步展开。

43. 计划定了以后,我们就要开始脚踏实地地干了。

44. 改革推动了经济的发展。

45. 他弟弟到中国的西部去工作。

46. 我们要使农村经济繁荣起来。

47. 我们必须尽早完成这个任务。

48. 五四运动在中国具有重大的历史意义。

49. 我们还处在社会主义的初级阶段。

第十课

1. 放暑假的时候

2. 旅游计划

3. 顺路去参观

4. 研究中国文化史

5. 至于他的意见

6. 生活比较穷困

7. 向别的同事请教

8. 终于成功了

9. 渊博的历史和地理知识

10. 理想实现了。

11. 得到重用

12. 与邻居和睦相处

13. 孝顺父母,尊敬师长

14. 为人宽厚

15. 根本不相信

16. 周游列国

17. 拜孔子像

18. 确实没听说过

19. 贵族子弟

20. 孔子的时代

21. 受教育的机会

22. 其中有外国学生。

23. 据说他上过大学。

24. 对学生严格要求

25. 请大学猜一猜

26. 态度很谦虚

27. 百家争鸣的时代

28. 维护等级制度

29. 对统治阶级没有影响

30. 提倡儒家思想

31. 南北方向建筑的孔庙

32. 孔林的面积有多大?

33. 处于统治的地位

34. 历代颂扬孔子的石碑

35. 孔子当年讲学的亭子

36. 他打了一个非常形象的比方。

37. 我对他的想法还不十分了解。

38. 为了实现政治理想而周游列国。

39. 在封建时代每个人都得背诵《论语》。

40. 经过刻苦学习,后来他终于成了知识渊博的学者。

41. 请你简单介绍一下孔子的生平。

42. 她的理想到底有没有实现的可能?

43. 因为反对战争,所以他没有得到统治者重用。

44. 向年纪比自己轻的人请教并不是一件羞耻的事。

45. 这个建筑物面积很大,而且包括好多院落。

46. 这句话我没有完全听懂,不过我可以猜一猜。

47. 近几年参观孔庙和孔林的外国人越来越多。

48. 一放暑假那个美国留学生就准备回国。

49. 除了孔子以外,孟子在中国思想史上也有很高的地位。

50. 汉武帝看到儒家思想对维护封建统治有好处。

听力问题

第一课

1. 王大叔家的楼房是什么时候盖的？村里盖新房的多吗？

2. 王大叔原来是本地人吗？他是什么时候逃到这儿来的？

3. 解放前王大叔租地主的地，每年打的粮食够吃吗？为什么？

4. 1950年土地改革的时候，王大叔家分到了几亩地？他们家的生活怎样才一天一天好起来？

5. 六十年代初农民为什么又受了一些苦？

6. "文化大革命"时，农民除了种粮食以外，还能搞别的生产吗？

7. 王大叔念完小学没有？

8. 王大叔有没有孙子？叫什么名字？

9. 史密斯先生去的时候，王大叔的孙子到什么地方去了？

10. 农民为什么要学习科学种田？

11. 农民到哪里去学习科学种田？

12. 王大叔家种了几亩地？种的是什么？

13. 国家是把土地包给农民个人去种吗？

14. 为什么农民可以多劳多得？

15. 王大叔家的西瓜是买来的，还是自己种的？

16. 农民在地里种的瓜果蔬菜，自己吃不了怎么办？

17. 农民富起来了，他们家里都买了些什么东西？

18. 中国耕地占世界耕地的百分之几？要养活的人口占世界人口的几分之一？

19. 中国发展农业要靠哪两条？

第二课

1. 张先生是什么人？他向史密斯介绍了什么？

2. 旧中国的许多工业品的名字常带一个"洋"字，这是为什么？

3. 旧中国一些规模较大的民族工业都集中在什么地方？

4. 中华人民共和国成立以后，内地也建立了现代化企业吗？

5. 从八十年代改革开放以来，中国的工业在哪些方面有了飞速的发展？

6. 中国的钢的产量是不是还没有超过一亿吨？

7. 轻工业展销会上都有些什么展品？

8. 最吸引观众的是什么？

9. 八十年代改革开放以前，中国的"重工业腿长，轻工业腿短"，这是什么意思？现在这种情况已经改变了没有？

10. 史密斯先生参观了大庆油田没有？除了大庆油田以外，中国别的地区也发现了油田没有？

11. 中国现在能出口石油吗？

12. 史密斯先生在复旦大学听了两节什么课？课后和那里的师生进行座谈了没有？

13. 中国在什么时候爆炸了原子弹和氢弹？

14. "蜀道"在什么地方？

15. "蜀道之难，难于上青天"，这是谁说过的，是什么意思？

16. 解放前长江的中下游有桥吗？火车怎样过江？

17. 现在长江上架起了多少座桥？

18. 前些年是什么问题拖了中国工业化

的后腿？怎样解决这个问题？

19. 京九铁路是从哪里到哪里的铁路？
20. 世界上容量最大的三峡水电站什么时候可以全部建成？

第三课

1. 史密斯先生去中国访问旅行，是什么时候回国的？
2. 他要向商业界的朋友谈什么问题？
3. 中国八十年代以前重视商业吗？那时商品供应怎么样？
4. 那时商店赔钱赚钱和本企业有关系吗？职工干得好不好和工资有关系吗？
5. 那时人们买东西方便不方便？
6. 中国从什么时候起开始实行有中国特色的社会主义制度？
7. 中国实行有特色的社会主义制度以来，商业出现了什么变化？
8. 中国改革开放以后，商店的服务质量有很大的改进吗？
9. 史密斯先生在五十年代去过中国的哪两个大城市？今天那里的面貌有没有很大的变化？
10. 说一说史密斯先生夜晚在上海和北京看到的街道上的情况。
11. 北京最著名的繁华街道是哪一条？你去过没有？
12. 北京这条最繁华的街道和五十年代有什么不同？
13. 史密斯先生看到在北京和上海各商厦最受欢迎的商品是什么？
14. 电视在中国已经普及了吗？
15. 史密斯先生为什么认为中国人民的生活水平已经大大提高了？
16. 史密斯先生先生从哪件事看出中国

商店里的售货员服务态度很好？

17. 中国售货员的服务态度为什么和八十年代以前不一样了？
18. 中国人的住房情况有什么变化？
19. 中国现在有没有超级市场？说说那里的情况。
20. 在农贸市场卖东西的大部分是什么人？他们都卖些什么东西？

第四课

1. 琳达他们到王老师家里去做什么？
2. 春节是哪一天？
3. 小明春节都做什么了？除夕他几点睡觉的？
4. 过春节吃饺子吗？什么时候吃？
5. 听说过春节要挂年画、贴春联，是吗？
6. 过春节有舞狮子，要龙灯等庆祝活动吗？
7. 元宵节是哪一天？
8. 元宵好吃不好吃？
9. 过元宵节除了挂花灯、吃元宵以外，还做什么？
10. 猜灯谜有意思吗？你会不会猜？
11. 端午节是哪一天？端午节又叫什么节？
12. 过端午节是纪念谁的？
13. 屈原是战国时代的哪国人？他的主张是什么？
14. 屈原是不是一位伟大的爱国诗人？
15. 为了纪念屈原，人们要赛龙船、吃粽子，是吗？
16. 八月十五是中秋节，对不对？
17. 中秋节吃月饼，还是吃粽子？
18. "明月几时有，把酒问青天"写的是什么节日？

19. 月亮和月饼都是圆的，这象征着什么？
20. 请你讲讲你的国家最重要的节日有哪些庆祝活动。

第五课

1. 张玲家住在一个四合院，对吗？
2. 他们家住在东屋，还是西屋？
3. 他们家一共几口人？都在一起住吗？
4. 张玲的哥哥嫂子有几个孩子？是男孩儿，还是女孩儿？
5. 那个小女孩儿长得可爱吗？爷爷奶奶疼她吗？
6. 中国现在实行计划生育，一对夫妇生几个孩子？
7. 实行计划生育，人们都想得通吗？
8. 东院那个老太太为什么不让儿媳妇去领独生子女证？
9. 现在，姑娘结婚以后都住在婆家吗？
10. 南屋那个姑娘大学毕业后在哪儿工作？
11. 她多大（岁数）才找对象？
12. 她的对象是个什么样的人？
13. 他们什么时候结的婚？生活过得怎么样？
14. 中国有没有离婚问题？闹离婚的原因是多种多样的，对吗？
15. 西屋的小两口儿刚结婚的时候感情怎么样？
16. 后来闹开了离婚，原因是什么？
17. 经过调解，他们是重新和好了，还是离婚了？
18. 北屋的赵大爷家都有什么人？
19. 他们都多大岁数了？退休了吗？

20. 他们退休以后生活过得怎么样？

第六课

1. 中国一共有多少个民族？多少个少数民族？
2. 在少数民族中，哪个民族人口最多？
3. 满族一共有多少人？大部分住在什么地方？
4. 中国的少数民族大都能歌善舞，对吗？
5. 约翰他们去过内蒙古草原吗？住过蒙古包没有？
6. 蒙古族的"那达慕"大会在什么时候举行？都有哪些活动？
7. 约翰他们去草原的时候，参加"那达慕"大会了吗？为什么？
8. 阿依娜和阿米娜是哪个民族的？她们是姐妹俩吗？
9. 新疆的物产丰富不丰富？都有什么？
10. 库尔班节是哪个民族的传统节日？节日那天有一个活动叫什么？
11. 哈萨克是不是一个好客的民族？
12. 藏族人向客人献哈达表示什么意思？
13. 现在从拉萨到北京要多长时间？为什么？
14. 中国哪个省少数民族最多？那里的少数民族风俗习惯都一样吗？
15. 傣族过泼水节的时候，人们为什么互相往身上泼水？
16. 傣族姑娘为什么喜欢跳孔雀舞？
17. 壮族喜欢唱歌吗？他们都在哪天举行山歌比赛？
18. 夏岚是哪个民族的？她的故乡在什

么地方？

19. 她去过阿里山和日月潭吗？她想不想去？什么时候去？

第七课

1. 中国的社会主义建设主要靠什么？关键在哪里？

2. 清朝末年为什么要办"同文馆"，"同文馆"专门培养哪方面的人才？

3. 清朝的科举制度是什么时候废除的？

4. 中国最早成立的大学是哪个大学？有多少年的历史了？

5. 乙的祖父曾经被派到国外学习什么？

6. 请你谈谈蔡元培的教育思想和他所起的作用。

7. 北京大学成立以后，中国先后办起了一些高等学校，请你举出两个学校的名字来。

8. 抗日战争时期，在云南省的昆明成立了西南联合大学，是哪几个大学联合起来成立的？

9. 当时西南联合大学生活条件怎么样？是不是培养出来不少有用的人才？

10. 1949年以前中国的中小学教育为什么得不到普及？

11. 请举出两三个五十年代后在北京成立的大学的名字。

12. 中华人民共和国成立以来，中国的教育事业是一直顺利地向前发展，还是曾经遭受到政治运动的冲击？

13. 经过拨乱反正，中国的教育事业又蓬勃发展起来了吗？

14. 现在中国大学生的人数是不是比过去大大增加了？中国现在培养硕士、博士研究生吗？

15. 乙是多大岁数才上的大学？

16. "有志者事竟成"是什么意思？

17. 乙的儿子今年多大了？他中学毕业后考上大学没有？

18. 现在中国培养硕士、博士研究生的大学多不多？

19. 甲的儿子今年多少岁了？甲认为他儿子学习得好不好？

20. 为什么说现在中国的青年不愁没有出路？

第八课

1. 方成报考的第一志愿是哪个大学？哪个系？他被录取了没有？

2. 方成认为学地质地震专业可以为人类做出什么贡献？

3. 方成来学校报到，他认识的第一个朋友也是地质学系的同学吗？这位同学是几年级的？

4. 为什么说新同学刚接到入学通知书时，心情一定是很不平静的？

5. 广播声中的迎新讲话，除了鼓励新同学刻苦学习以外，还有其他的内容吗？

6. 从广播讲话的内容来看，大学学生生活是不是丰富多彩的？

7. 大学生在紧张学习之余，还有哪些业余活动？

8. 方成有没有什么特殊的爱好？是摄影，还是打篮球？

9. 学生早起跑步，对身体有没有好处？

10. 方成对老师的教学感到满意吗？

11. 大学的教师除了担任教学任务以

外，也搞科学研究工作吗？

12. 带研究生主要靠哪些教师？

13. 朱立明毕业后打算去哪里工作？

14. 朱立明的这一理想和愿望是什么时候产生的？

15. 怎么知道朱立明年老的父母也支持他到遥远的新疆去？

16. 你认为青年人到艰苦的地方去磨练有没有好处？

17. 朱立明为什么主张孙志远毕业后继续深造，报考研究生？

18. 江亭亭的理想和志愿是什么？

19. 江亭亭从事中小学教育事业的决心大不大？怎么知道她的决心很大？

20. 你想，方成听了几位四年级同学的谈话，会不会受到一些启发和教育？

第九课

1. 五四运动是哪一年发生的？是一种什么性质的运动？

2. 谁领导的革命推翻了清朝政府？

3. 孙中山领导的革命被什么人篡夺了革命果实？

4. 中国的封建社会有多长的历史？

5. 为什么说五四运动和新文化运动是相辅相成的？

6. 北京大学为什么能够成为当时新文化的中心？

7. 中国共产党是什么时候成立的？

8. 为什么中国共产党成立以后中国革命能够从一个胜利走向一个胜利？

9. 中华人民共和国成立的时候，全国人民为什么那么高兴？

10. 中国在革命取得了很大胜利以后，为什么会出现了政策上的失误？

11. 文化大革命是哪一年发生的？对中国带来哪些破坏？

12. 是谁提出了建设有中国特色的社会主义的思想？

13. 经过二十年的努力，到 20 世纪末，中国产生了哪些变化？

14. 现在中国还有哪些地区比较贫穷落后？

15. 国家准备怎样使那些贫穷落后的地区逐步富起来？

16. 中国必须坚持什么样的政策才能把生产建设搞上去？

17. 中国还要经过多少年的努力才能达到先进国家的中等水平？

18. 中国人民在中国共产党领导下要把中国建设成为一个什么样的国家？

19. 为什么现在中国青年不怕艰苦，要求到现在还贫穷落后的地方去？

20. 为什么说现在中国仍然是一个发展中的国家？

第十课

1. 琳达暑假打算做什么？

2. 张玲建议琳达去哪儿旅游？

3. 到泰山怎样才可以看到日出的景色？

4. 张玲建议琳达从泰山下来以后到哪里去看看？

5. 孔庙是纪念谁的庙？在什么地方？

6. 孔子是什么时候的人？他出生在什么地方？

7. 孔子小时候家里的经济情况怎么样？后来怎样成为一个思想渊博的思想家和教育家？

8. 孔子虽然想做官，但是为什么得不到当时诸侯国的重用？

9. 孔子主张的"仁"是什么意思?

10. 《论语》是一部什么样的书?

11. 孔子教过的学生有多少人? 都是贵族吗?

12. 怎样看出孔子很重视教育方法?

13. 孔子说的"不耻下问"是什么意思?

14. 孔子的思想有哪些缺点?

15. 春秋时代除了孔子以外中国还出现了哪些著名的思想家?

16. 为什么汉朝的皇帝特别提倡由孔子的思想形成的"儒家"的思想?

17. 孔庙建筑在什么地方?

18. 孔庙的建筑物是南北方向的还是东西方向的?

19. 孔林是什么地方?

20. 琳达希望约谁和她一起去旅游?

词汇总表

词 汇 总 表

哎呀	āiyā	8	(叹)	Oh, dear!
唉	āi	4	(叹)	O. K., fine
挨打	áidǎ	6	(动宾)	to be beaten or thrashed
爱好	àihào	8	(名、动)	hobby; to like, be fond of
按月	ànyuè	5	(介宾)	on schedule (according to each month)
百货大楼	bǎihuò dàlóu	3	(名)	department store
百家争鸣	bǎijiā zhēngmíng	10	(成)	to let a hundred schools of thought contend
百闻不如一见	bǎiwén bùrú yíjiàn	6		to see it once is better than to hear a hundred times——seeing is believing
拜	bài	10	(动)	to make a deep bow to
拜年	bàinián	4	(动)	to pay a New Year visit, to wish one a happy New Year
包	bāo	1	(动)	to contract for, to assume full responsibility for (a job)
报到	bàodào	8	(动)	to report in (announce one's arrival)
报考	bàokǎo	8	(动)	to take an exam for, to enter oneself for an exam
爆炸	bàozhà	2	(动)	to explode, to detonate
碑	bēi	10	(名)	stone tablet
背	bēi	8	(动)	to carry on the back
背诵	bèisòng	10	(动)	to recite
本领	běnlǐng	7	(名)	ability, skill
比例	bǐlì	2	(名)	proportion, ratio
必修课	bìxiūkè	8	(名)	required course
毕业	bìyè	5	(动)	to graduate
编	biān	3	(动)	to weave, to compile
编辑	biānjí	9	(动、名)	to edit; editor
表	biǎo	8	(名)	form, table
并且	bìngqiě	6	(连)	furthermore

拨乱反正	bōluàn-fǎnzhèng	7		to bring order out of chaos; set to right things which have been thrown into disorder
伯父	bófù	5	（名）	uncle (father's elder brother; polite form to address a friend's father)
伯母	bómǔ	5	（名）	aunt (wife of father's elder brother; polite form to address a friend's mother)
不耻下问	bùchǐxiàwèn	10		not feel ashamed to ask people below
不妨	bùfáng	8	（副）	no harm to (in)
不管……都，还……	bùguǎn … dōu, hái…	6		… regardless of…, still/all…
不久	bùjiǔ	9	（副）	soon, before long
不如	bùrú	10	（副）	not as good as; it would be better to…
不是……就是……	búshì…jiùshì…	7		(used before two words or clauses to indicate something is either one way or the other)
不幸	búxìng	5	（副、名）	unfortunately; misfortune
猜	cāi	4	（动）	to guess
才能	cáinéng	8	（名）	talent
采矿	cǎikuàng	2		to mine; mining
彩电	cǎidiàn	3	（名）	colour TV
层	céng	1	（量）	story (for floor of house)
差得远	chàdeyuǎn	2		to fall short by far
产品	chánpǐn	2	（名）	product
尝	cháng	1	（动）	to taste, to try the flavour of
超级市场	chāojíshìcháng	3	（名）	supermaket
超前	chāoqián	9	（动）	to go before one should go
吵闹	chǎonào	5	（动）	to quarrel, to wrangle
成长	chéngzhǎng	8	（动）	to grow
耻辱	chǐrǔ	6	（名）	shame, humiliation, dishonor
冲昏头脑	chōnghūn tóunǎo	9		turn somebody's head

233

冲击	chōngjī	7	（动）	to pound or attack（by water or some other force）
重新	chóngxín	5	（副）	again, anew
抽打	chōudǎ	6	（动）	to whip
愁	chóu	5	（动）	to worry
出版	chūbǎn	9	（动）	to publish
出口	chūkǒu	2	（动、名）	to export; export
出路	chūlù	7	（名）	way out, outlet, way of making a living
出世	chūshì	7	（动）	to come into the world, be born
初……	chū…	4	（头）	（prefix for the first 10 days of a lunar month）
初级	chūjí	9	（名）	primary, elementary
除夕	chúxī	4	（名）	New Year's Eve
……处	…chù	8	（名）	place
处于	chǔyú	10		
处在	chǔzài	9	（动）	be（in a certain condition）
处理	chùlǐ	5	（动）	to handle, to deal with
传统	chuántǒng	4	（名）	tradition; traditional
吹	chuī	7	（动）	to boast
春联	chūnlián	4	（名）	Spring Festival couplets（two lines of poetry, posted on either side of doors and gateways, welcoming spring）
匆匆忙忙	cōngcōngmángmáng	8	（形）	hurriedly
篡夺	cuànduó	9	（动）	to usurp, to seize
村长	cūnzhǎng	1	（名）	the head of the village
错过	cuòguò	6	（动）	to miss, to let slip
打捞	dǎlāo	4	（动）	to get something out of the water, to salvage, to fish（out）
打拍子	dǎ pāizi	6	（动宾）	to tap out the beat
打拳	dǎquán	8	（动）	to box（Chinese style）
打扫	dǎsǎo	4	（动）	to tidy up or clean up（a place）
打算	dǎsuàn	10	（动、名）	to plan or intend; plan

打太极拳	dǎ tàijíquán	5		to do *taijiquan* (Chinese shadow boxing)
大不了	dàbuliǎo	5		at worst, serious
大锅饭	dàguōfàn	3	(名)	a big communal pot of food
大棚	dàpéng	1	(名)	large shed (used to protect the vegetable in winter)
大叔	dàshū	1	(名)	uncle (a polite form of address for a man about one's father's age)
大有作为	dàyǒuzuòwéi	8		to show promise of great accomplishment
带	dài	8	(动)	to take
带动	dàidòng	9	(动)	to bring along, to drive
单调	dāndiào	2	(形)	monotonous
当作	dàngzuò	6	(动)	to take... as, to consider... as
倒	dào	7	(副)	yet, but (used in asking a question impatiently)
登记	dēngjì	8	(动)	to register
凳子	dèngzi	1	(名)	stool
地点	dìdiǎn	1	(名)	place
地震	dìzhèn	8	(名)	earthquake
地质	dìzhì	8	(名)	geology
第三者插足	dìsānzhě chāzú	5		The third party is involved.
电风扇	diànfēngshàn	1	(名)	electric fan
电子	diànzǐ	2	(名)	electron, electronics
动作	dòngzuò	6	(名)	physical movement
端	duān	1	(动)	to hold something in both hands
对唱	duìchàng	6	(动)	to sing in antiphony
对象	duìxiàng	5	(名)	boyfriend or girlfriend, prospective partner in marriage
儿媳妇	érxífu	5	(名)	daughter-in-law
而	ér	9	(连)	yet (it links two words or two structures opposite in meaning)
翻天覆地	fāntiānfùdì	9	(成)	to turn everything upside down; world shaking

繁华	fánhuá	3	(形)	busy, flourishing
反倒	fǎndào	4	(副)	on the contrary, contrary to expectation
反正	fǎnzhèng	4	(副)	anyway, in any case
房地产	fángdìchǎn	3	(名)	real estate
放心	fàngxīn	8	(动)	to feel relieved, to be at ease
非……不可	fēi…bùkě	3		must, have to
非得	fēiděi	5	(助词)	must, to have to, to insist on（can be used in conjunction with 不可 or 才行）
肥壮	féizhuàng	6	(形)	stout and strong
分组	fēnzǔ	6		to divide into groups
纷纷	fēnfēn	4	(副)	one after another
丰富多彩	fēngfùduōcǎi	6		rich and varied, colorful
风俗	fēngsú	4	(名)	customs
逢年过节	féngniánguòjié	5		on New Year's Day or other festivals
否定	fǒudìng	7	(动)	to negate, to deny
夫妇	fūfù	5	(名)	husband and wife
服务	fúwù	8	(动、名)	to serve（usually intransitive）; service
服装	fúzhuāng	2	(名)	clothing, uniform, costume
富国强兵	fùguóqiángbīng	4		make the country prosperous and strengthen the military
富裕	fùyù	5	(形)	wealthy, well-to-do, rich
改善	gǎishàn	9	(动)	to improve
盖	gài	1	(动)	to build
干劲	gànjìng	1	(名)	vigor, enthusiasm
赶	gǎn	6	(名)	to drive, to herd
赶回来	gǎnhuílái	4	(动补)	to hurry back
赶上	gǎnshàng	6	(动补)	to make it in time（for）, to catch
感动	gǎndòng	8	(动)	to move, to be moved
感情	gǎnqíng	5	(名)	feelings, emotions
高等院校	gāoděng yuànxiào	7		universities and colleges

高耸入云	gāosǒngrùyún	2		to reach to the sky, to tower into the clouds
高速公路	gāosù gōnglù	2		express way, super highway
高中	gāozhōng	1	（名）	senior middle school
搞	gǎo	1	（动）	to do, to be engaged in
搞科研	gǎo kēyán	5	（动宾）	to do scientific research
告别	gàobié	5	（动）	to say goodbye, to bid farewell
个别	gèbié	8	（形）	individual
各行各业	gèháng gèyè	7		all trades and professions
根深蒂固	gēnshēndìgù	9	（成）	deep‐rooted
公路	gōnglù	2	（名）	highway
公寓	gōngyù	3	（名）	apartment
供不应求	gōngbùyìngqiú	3		supply falls short of demand
供应	gòngyìng	3	（动、名）	to provide; supply
贡献	gòngxiàn	7	（动、名）	to contribute; contribution
谷	gǔ	2	（名）	valley
骨干	gǔgàn	8	（名）	mainstay
鼓励	gǔlì	3	（动）	to encourage
故乡	gùxiāng	6	（名）	native place, hometown
挂	guà	4	（动）	to hang（up）
怪不得	guàibùdé	2	（副）	no wonder
关键	guānjiàn	7	（名）	key, crux
观赏	guānshǎng	2	（动）	to view and admire, to enjoy the sight of
观众	guānzhòng	2	（名）	viewer, audience
管	guǎn	5	（动）	to look after, to take care, to be in charge of, to control
管 A 叫 B	guǎnAjiàoB	2		to call A B
广大	guǎngdà	7	（形）	vast, numerous
广阔	guǎngkuò	8	（形）	vast, broad
归	guī	1	（动）	to turn over to, to belong to
规定	guīdìng	8	（动、名）	to stipulate; stipulation
规模	guīmó	2	（名）	scale

贵重	guìzhòng	3	(形)	expensive, valuable
锅	guō	4	(名)	pot
国君	guójūn	10	(名)	sovereign of a kingdom
国土	guótǔ	2	(名)	land, territory
果实	guǒshí	9	(名)	fruit
过渡	guòdù	3	(名、动)	transition
哈达	hǎdá	6	(名)	a long piece of white fabric (usually silk, used to show respect, good wishes)
哈密瓜	hāmìguā	6	(名)	Hami melon——a kind of muskmelon
好客	hàokè	6	(形)	hospitable
好日子	hǎo rìzi	7		happy and peaceful life
好转	hǎozhuǎn	2	(动、名)	to change for the better; improvement
号召	hàozhāo	5	(动、名)	to call, to appeal; appeal
合得来	hédelái	5	(动补)	to get along well
何尝	hécháng	8	(副)	not that, how could (rhet.)
和睦相处	hèmùxiāngchù	10		to live in harmony
花色	huāsè	2	(名)	design and colour (of materials)
化妆品	huàzhuāngpǐn	3	(名)	cosmetics
划船	huáchuán	4	(动宾)	to row (a boat)
还是……行	háishì…xíng	4		after all, if… best
回想	huíxiǎng	7	(动)	to think back, to recall
汇集	huìjí	10	(动)	to collect, to compile
婚姻	hūnyīn	5	(名)	marriage
火柴	huǒchái	2	(名)	match
伙食	huǒshí	8	(名)	board, meals
货架	huòjià	3	(名)	goods shelves
机场	jīcháng	6	(名)	airfield
机床	jīchuáng	2	(名)	machine tool
基本	jīběn	6	(形)	basic; basically
吉祥	jíxiáng	6	(形)	good luck
极其	jíqí	2	(副)	extremely

急躁	jízào	9	（形）	impatient, irritable
几乎	jīhū	1	（副）	almost, nearly
计划	jìhuà	8	（名、动）	plan; to plan
计划经济	jìhuà jīngjì	3		planned economy
计算	jìsuàn	8	（动）	to calculate; calculation
纪念	jìniàn	4	（动、名）	to commemorate; souvenir
季节	jìjié	6	（名）	season
既然	jìrán	5	（连）	since, now that
继承	jìchéng	6	（动）	to inherit, to carry on
加上	jiāshàng	1	（动）	to add; plus
……家	…jiā	10	（名）	a specialist in a certain field
家家户户	jiājiāhùhù	4	（名）	every household
家务事	jiāwùshì	5	（名）	household chores
架	jià	2	（动、量、名）	to build (bridge); (measure word for machine); rack
坚持	jiānchí	9	（动）	to insist on, to persist in, to adhere to
坚定	jiāndìng	8	（动、形）	to make firm; strengthened
坚定不移	jiāndìngbùyí	9		firm and unshakable
艰苦	jiānkǔ	7	（形）	hard, arduous
兼容并包	jiānróngbìngbāo	7		to incorporate things of diverse nature; to take in everything
简直	jiǎnzhí	3	（副）	simply, absolutely; at all
见闻	jiànwén	3	（名）	what one sees and hears
建筑物	jiànzhùwù	10	（名）	building
讲学	jiǎngxué	10	（动）	to give lectures
讲座	jiǎngzuò	8	（名）	lecture
奖	jiǎng	4	（动、名）	to award (prizes); award, prize
交往	jiāowǎng	5	（动）	to associate with, to make contact with
浇花	jiāohuā	4	（动宾）	to water flowers
饺子	jiǎozi	4	（名）	Chinese dumpling
脚踏实地	jiǎotàshídì	9		have one's feet planted on solid ground——earnest and earth
阶段	jiēduàn	9	（名）	stage, phase

节目	jiémù	4	（名）	program
洁白	jiébái	6	（形）	pure white
结婚	jiéhūn	5	（动）	to get married
解释	jiěshì	2	（动、名）	to explain; explanation
……界	jiè	3	（名）	circle, boundary
尽	jǐn	9	（副）	to the greatest extent
尽管	jǐnguǎn	6	（副、连）	freely; even though, despite
尽可能	jìn kěnéng	4		to do one's best, to try hard
进口	jìnkǒu	2	（动、名）	to import; import
精彩	jīngcǎi	4	（形）	brilliant, wonderful
经历	jīnglì	9	（动、名）	to undergo; experience
京戏	jīngxì	5	（名）	Peking opera
经营	jīngyíng	3	（动）	to manage
竟	jìng	5	（副）	unexpectedly, surprisingly（contrary to expectation）
敬意	jìngyì	6	（名）	respect
究竟	jiūjìng	6	（副）	after all, actually, in the end
就……来讲	jiù…láijiǎng	2		as far as… is concerned
就业	jiùyè	7	（动）	to get a job
居民	jūmín	5	（名）	resident
居然	jūrán	8	（副）	unexpectedly
巨大	jùdà	3	（形）	huge, tremendous
据说	jùshuō	10	（副）	it is said
军阀混战	jūnfá hùnzhàn	7		tangled fighting between warlords
开发	kāifā	8	（动）	to develop, to open up
开放	kāifàng	3	（动）	to open; opening
抗日战争	kàngrì zhànzhēng	7		the War of Resistance Against Japan
考察	kǎochá	8	（动、名）	to investigate; investigation
考古	kǎogǔ	8	（名）	archaeology
考虑	kǎolǜ	8	（动）	to consider
考上	kǎoshàng	6	（动补）	to be admitted through examination
科举	kējǔ	7	（名）	imperial examination

可怜	kělián	2	(形)	pathetic, pitiable
可……了	kě…le	9		here indicates a high degree, usually used with 了 at the end of the sentence
刻苦	kèkǔ	8	(形)	painstaking, assiduous
孔雀	kǒngquè	6	(名)	peacock
恐怕	kǒngpà	5	(副)	probably, I'm afraid that (sometimes implying anxiety)
宽厚	kuānhòu	10	(形)	generous, honest and kind
况且	kuàngqiě	8	(连)	besides
来历	láilì	4	(名)	origin, history
来自	láizì	8	(动)	to come from
老百姓	lǎobǎixìng	7	(名)	ordinary people, civilians
老伴	lǎobàn	5	(名)	husband or wife (in an old couple)
老两口儿	lǎoliǎngkǒuer	5	(名)	an old couple (husband and wife)
离婚	líhūn	5	(动)	to divorce
理论	lǐlùn	8	(名)	theory
理想	lǐxiǎng	10	(名)	ideal
厉害	lìhài	1	(形)	severe, terrible
量	liàng	8	(名)	quantity, amount
邻居	línjū	5	(名)	neighbor
留学	liúxué	7	(动)	to study abroad
楼房	lóufáng	1	(名)	house (of more than one story)
漏	lòu	7	(动)	to leak
陆续	lùxù	8	(副)	one after another
录取	lùqǔ	8	(动)	to accept, to enroll
旅游	lǚyóu	10	(动)	to travel
屡次	lǚcì	7	(副)	time and again
轮渡	lúndù	2	(名)	ferry
落后	luòhòu	2	(形)	(to be) backward, underdeveloped
麻烦	máfan	5	(动、形)	to disturb, to bother; troublesome (polite way of asking someone to do something)
马鞭	mǎbiān	6	(名)	horsewhip

麦子	màizi	1	（名）	wheat
满足	mǎnzú	2	（动、形）	to satisfy; be satisfied
矛盾	máodùn	5	（名、形）	conflict; contradictory
每逢佳节倍思亲	měi féng jiājié bèi sīqīn	4		"In festive times one longs the more for home" ——from a poem by Wang Wei
美好	měihǎo	6	（形）	happy, glorious, fine
美满	měimǎn	5	（形）	happy, perfect, satisfactory
美术	měishù	8	（名）	art
蒙古包	ménggǔbāo	6	（名）	yurt, circular tent made of skins
面貌	miànmào	3	（名）	faces, features
名	míng	10	（名、动）	name; to be named
明明	míngmíng	4	（副）	clearly, obviously
明月几时有……	míngyuè jǐshí yǒu	4		With wine in hand...
磨炼	móliàn	8	（动）	to temper, to steel
亩	mǔ	1	（量）	a measure of land (6. 6 亩＝1 acre)
目标	mùbiāo	2	（名）	target, aim
牧民	mùmín	6	（名）	herdsfolk
墓	mù	10	（名）	grave
哪儿的话	něr de huà	1		not at all
哪里	nǎlǐ	5		What are you talking about? It's nothing.
内地	nèidì	2	（名）	inland areas
奶奶	nǎinai	5	（名）	grandmother (father's mother)
耐心	nàixīn	3	（副、名）	patient; patience
男女老少	nánnǚlǎoshào	2	（名）	men and women, young and old—— all people regardless of sex or age
能歌善舞	nénggēshànwǔ	6		to be good at singing and dancing
年画	niánhuà	4	（名）	Spring Festival pictures
年纪	niánjì	5	（名）	age
娘家	niángjiā	5	（名）	married woman's parents' home
农历	nónglì	4	（名）	the Chinese lunar calendar

农贸市场	nóngmào shìchǎng	3		agriculture product market
农奴	nóngnú	6	（名）	serf, serfdom
奴隶	núlì	6	（名）	slave
糯米面	nuòmǐmiàn	4	（名）	glutinous rice flour
爬	pá	10	（动）	to climb
陪	péi	5	（动）	to keep company, to accompany
培养	péiyǎng	7	（动）	to foster, to train
赔（钱）	péi (qián)	3	（动）	to lose money (in business)
蓬勃	péngbó	7	（形）	vigorous; flourishing; full of vitality
偏	piān	8	（副）	adamant, obstinately
平静	píngjìng	8	（形）	calm
平民	píngmín	10	（名）	common people
婆婆	pópo	5	（名）	mother-in-law (husband's mother)
葡萄	pútáo	6	（名）	grape
普及	pǔjí	7	（动）	to popularize
普通	pǔtōng	5	（形）	common, ordinary
欺侮	qīwǔ	7	（动）	to bully
其余	qíyú	1	（名）	the others, the rest
旗帜	qízhì	9	（名）	
其中	qízhōng	10	（名）	among (them, which)
启发	qǐfā	8	（名、动）	inspiration; to inspire
企业	qǐyè	1	（名）	enterprise, business
千变万化	qiānbiànwànhuà	2		ever changing
谦虚	qiānxū	10	（形）	modest
前身	qiánshēn	7	（名）	predecessor
强调	qiángdiào	3	（动）	to emphasize, to stress
敲	qiāo	1	（动）	to knock
敲锣打鼓	qiāoluódǎgǔ	9		play gongs and drums
桥	qiáo	2	（名）	bridge
瞧你说的	qiáo nǐ shuō de	5		How nice of you to say so!
巧克力	qiǎokèlì	4	（名）	chocolate

亲	qīn	5	（形）	related by blood, close, intimate
亲戚	qīnqi	4	（名）	relatives
亲自	qīnzì	6	（副）	personally
青稞酒	qīngkējiǔ	6	（名）	highland *qingke* barley wine
氢弹	qīngdàn	2	（名）	hydrogen bomb
轻歌曼舞话友情	qīnggē mànwǔ huà yǒuqíng	6		amid song and dance we speak of friendship
轻视	qīngshì	8	（动）	to underestimate, to hold in low esteem
清晨	qīngchén	8	（名）	early morning
请便	qǐngbiàn	1		do as you wish
请教	qǐngjiào	10	（动）	to ask for advice
庆祝	qìngzhù	4	（动）	to celebrate
穷	qióng	1	（形）	poor
取消	qǔxiāo	7	（动）	to abolish, to cancel
全面	quánmiàn	2	（形）	overall, multifaceted
劝说	quànshuō	5	（动）	to persuade, to advise
热门	rèmén	3	（形、名）	in great demand
人才	réncái	7	（名）	talented person
仁慈	réncí	10	（形）	benevolent, kindhearted
人生	rénshēng	2	（名）	life
日	rì	10	（名）	sun
日记	rìjì	2	（名）	diary, journal
容量	róngliàng	2	（名）	capacity
入学	rùxué	8	（动宾）	start school, enter college
撒	sǎ	4	（动）	to sprinkle, to spread
赛龙船	sài lóngchuán	4	（动宾）	dragon boat race
赛马	sàimǎ	6	（动宾）	(to have a) horse race
散步	sànbù	5	（动）	to stroll, to take a walk
嫂子	sǎozī	5	（名）	elder brother's wife, sister – in – law
沙发	shāfā	5	（名）	couch, sofa
晒	shài	1	（动、形）	to shine upon; be exposed to the sun

山顶	shāndǐng	10	（名）	top of a mountain
山峰	shānfēng	2	（名）	mountain peak
山歌	shāngē	6	（名）	folk songs from mountain areas
商品	shāngpǐn	3	（名）	goods, commodities
商厦	shāngshà	3	（名）	big commercial building
商业	shāngyè	3	（名）	business, commerce, trade
赏月	shǎngyuè	4	（动宾）	admire the moon
稍微	shāowēi	8	（副）	slightly, somewhat
奢侈品	shēchìpǐn	3	（名）	luxury goods, luxuries
舍不得	shěbudé	8	（动）	cannot bear to
……社	shè	8	（名）	association
社团	shètuán	8	（名）	associations, organizations
射箭	shèjiàn	6	（动宾）	archery
摄影	shèyǐng	8	（名）	photography
申请	shēnqǐng	8	（动、名）	to apply, to request; application
深远	shēnyuǎn	10	（形）	profound and lasting
深造	shēnzào	8	（动）	to pursue advanced studies
生气	shēngqì	6	（动）	to get angry
生育	shēngyù	5	（名、动）	childbirth; to give birth to
圣诞节	Shèngdànjié	4	（名）	Christmas
尸体	shītǐ	4	（名）	corpse
失调	shītiáo	2	（动、名）	to lose balance; imbalance
什么的	shénme de	5		and so on
时事	shíshì	8	（名）	current events
实际上	shíjìshàng	2		in fact, actually
实事求是	shíshìqiúshì	9		to seek truth from fact; be practical and realistic
实在	shízài	2	（副）	truly, really
市场	shìchǎng	2	（名）	market
市场经济	shìchǎng jīngjì	3	（名）	market economy
收入	shōurù	3	（名）	income
手续	shǒuxù	8	（名）	procedure, formalities

书法	shūfǎ	8	（名）	calligraphy
蔬菜	shūcài	1	（名）	vegetables
蜀道之难……	shūdào zhī nán...	2		Hard is the way to Sichuan...
数量	shùliàng	1	（名）	amount, quantity
数学	shùxué	8	（名）	mathematics
耍龙灯	shuǎ lóngdēng	4	（动宾）	to do the dragon lantern dance
摔跤	shuāijiāo	6	（动）	to wrestle
水电站	shuǐdiànzhàn	2	（名）	hydroelectric station
水平	shuǐpíng	2	（名）	standard, level
顺路	shùnlù	10	（形）	on the way
说不定	shuōbudìng	5	（副）	perhaps, maybe
私人	sīrén	3	（名）	private, personal
私塾	sīshú	7	（名）	small private school (old style, run by one teacher)
四合院	sìhéyuàn	5	（名）	a compound with houses around a courtyard, quadrangle
四季如春	sìjìrúchūn	7	（成）	the weather is like spring all the year round
四书五经	Sìshū Wǔjīng	7		the Four Books and the Five Classics of the Confucian school
手工艺品	shǒugōngyìpǐn	3		handicraft
速度	sùdù	2	（名）	speed
塑像	sùxiàng	10	（名）	statue
算	suàn	1	（动）	to regard as, to consider
孙子	sūnzǐ	1	（名）	grandson
损失	sǔnshī	1	（名、动）	loss; to suffer a lose
所……的	suǒ…de	3		(所 used before a verb plus 的 forms a nominal phrase)
所有的	suǒyǒu de	5		all, every
台	tái	1	（量、名）	(a measure word for machines, shows, etc.)
泰山	tàishān	10	（名）	Mount Tai in Shandong Province

套	tào	5	（量、名、动）	(for house) a flat, (for clothes) a suit, (for other things) a set of
特殊	tèshū	8	（形）	special
疼	téng	5	（动、形）	to love dearly; painful
甜	tián	4	（形）	sweet
提倡	tíchàng	7	（动）	to advocate, to encourage
条件	tiáojiàn	7	（名）	condition, factor
调解	tiáojiě	5	（动）	to mediate, to make peace
调整	tiáozhěng	2	（动、名）	to adjust, adjustment
贴	tiē	4	（动）	to post (a notice, etc.)
铁路	tiělù	2	（名）	railway
亭子	tíngzi	10	（名）	pavilion
通知书	tōngzhīshū	8	（名）	notification
同辈	tóngbèi	10	（名）	of the same generation
同意	tóngyì	5	（动、名）	to agree; consent
头……	tóu…	4		the first, the first few times
投江	tóujiāng	4	（动宾）	to jump into the river (in suicide)
投资	tóuzī	3	（动、名）	to invest; investment
土地改革	tǔdì gǎigé	1		land reform
推动	tuīdòng	9	（动）	to push forward
退	tuì	3	（动）	to move back, to return
退休	tuìxiū	5	（动）	to retire
退休金	tuìxiūjīn	5	（名）	retirement pay, pension
托您的福了	tuō nínde fúle	5		thanks to you (polite remark, lit. my good fortune rests on yours)
拖……后腿	tuō… hòutuǐ	2	（动宾）	to hold … back
拖拉机	tuōlājī	1	（名）	tractor
外地	wàidì	4	（名）	some other part of the country
晚辈	wǎnbèi	10	（名）	the younger generation
万事如意	wànshìrúyì	4		Everything goes as one wishes.
万一	wànyī	5	（副）	if by any chance, just in case
围	wéi	8	（动）	to surround; around

违背	wéibéi	9	（动）	to go against, to run counter to
维护	wéihù	10	（动）	to defend, to safeguard
文体	wén-tǐ	8	（名）	recreation and sports
稳步	wěnbù	9		steadily
握手	wòshǒu	1		to shake hands
无论……（都，也）	wúlùn...（dōu, yě）	2		no matter what, regardless of
无能	wúnéng	4	（形）	incapable, impotent
舞蹈	wǔdǎo	6	（名）	dance
舞狮子	wǔshīzi	4	（动宾）	to do the Lion Dance
物理	wùlǐ	8	（名）	physics
西瓜	xīguā	1	（名）	watermelon
吸引	xīyǐn	2	（动）	to attract
喜新厌旧	xǐxīnyànjiù	5		to love the new and loathe the old; be fickle in affection
虾	xiā	4	（名）	shrimp, prawn
下棋	xiàqí	6	（动宾）	to play board games (esp. Chinese chess)
先进	xiānjìn	9	（形）	advanced
险	xiǎn	2	（形）	dangerous, precipitous
馅儿	xiànr	4	（名）	filling, stuffing
献	xiàn	6	（动）	to offer (in tribute)
相辅相成	xiāngfǔxiāngchéng	9		supplement each other
享受	xiǎngshòu	2	（名、动）	enjoyment; to enjoy
响	xiǎng	8	（动）	to sound
想得通	xiǎngdetōng	5		to be able to straighten out one's thinking, to become convinced, to come around
象征	xiàngzhēng	4	（动、名）	to symbolize; symbol
消息	xiāoxi	4	（名）	news
销售量	xiāoshòuliàng	3		sales volume
小伙子	xiǎohuǒzī	6	（名）	young fellow, kids

孝顺	xiàoshùn	10	（形）	filial (a son or daughter to his or her parents)
校园	xiàoyuán	8	（名）	campus
心情	xīnqíng	8	（名）	frame of mind, mood
欣赏	xīnshǎng	8	（名）	to appreciate
幸福	xìngfú	5	（形、名）	happy; happiness
幸亏	xìngkuī	7	（副）	luckily, fortunately
修配	xiūpèi	2	（动）	to repair
需要	xūyào	2	（名、动）	need; to need to
选择	xuǎnzé	5	（动、名）	to choose ; choice
学而时习之	xué ér shí xí zhī	10		to practice or review time and again what one has learned
学分	xuéfēn	8	（名）	marks, credits
学者	xuézhě	8	（名）	scholar
训练	xùnliàn	6	（名、动）	training; to train
严格	yángé	10	（形）	strict
严重	yánzhòng	2	（形）	serious
言论	yánlùn	10	（名）	one's words, what one has said
沿途	yántú	2	（名）	on the way
眼看	yǎnkàn	8	（副）	very soon
谚语	yànyǔ	6	（名）	proverb
养活	yǎnghuó	1	（动）	to support, to provide for
样式	yàngshì	2	（名）	style, pattern
要不然	yàoburán	5	（连）	otherwise
要不是	yàobushì	7	（连）	if it were not for
爷爷	yéye	5	（名）	grandfather
一辈子	yíbèizī	8	（名）	a lifetime
一定	yídìng	1	（形、副）	definite; definitely
一对一的	yīduìyīde	6		in pairs
一共	yígòng	6	（形、副）	altogether
一望无际	yíwàngwújì	6		endless, as far as the eye can see
一下子	yíxiàzi	3	（副）	suddenly, at once
一一	yīyī	1	（副）	one by one

遗憾	yíhàn	9	(形)	regretful; it's a pity
以来	yǐlái	3	(助)	since
艺术品	yìshùpǐn	3	(名)	work of art
意味	yìwèi	8	(动)	to signify
意义	yìyi	9	(名)	meaning, significance
意志	yìzhì	8	(名)	determination, will
因为……的关系	yīnwèi... de guānxì	3		on account of . . . , because of . . .
引进	yǐnjìn	3	(动)	to recommend, to introduce from elsewhere
哟	yōu	4	(叹)	Oh! (expressing surprise)
拥挤	yōngjǐ	3	(形)	crowd
优惠	yōuhuì	9	(形)	preferential, favourable
尤其	yóuqí	2	(副)	especially
油田	yóutián	2	(名)	oilfield
游戏	yóuxì	6	(名)	game
有志者事竟成	yǒuzhìzhě shì jìng chéng	6		Where there's a will, there's a way (lit.: For those with a will, all can be accomplished.)
娱乐	yúlè	5	(动、名)	amuse; recreation, entertainment
愉快	yúkuài	4	(形)	happy
渊博	yuānbó	10	(形)	broad and profound (in knowledge)
元宵	yuánxiāo	4	(名)	dumplings made of glutinous rice flour with sweet filling
元宵节	yuánxiāojié	4	(名)	the Lantern Festival (the night of the 15th of the first lunar month)
原子弹	yuánzǐdàn	2	(名)	atomic bomb
院落	yuànluò	10	(名)	courtyard
院子	yuànzi	1	(名)	yard
约	yuē	10	(动)	to make an appointment, to invite in advance
月饼	yuèbǐng	4	(名)	mooncake
杂谈	zátán	7	(名)	wide-ranging discussion
杂志	zázhì	9	(名)	magazine

糌粑	zānbā	6	（名）	*zanba*; roasted *qingke* barley flour
葬	zàng	10	（动）	to bury
早晨	zǎochén	4	（名）	morning
赠送	zèngsòng	3	（动）	to give as a present
摘	zhāi	1	（动）	to pick, to pluck
粘	zhān	4	（形）	sticky
展销会	zhǎnxiāohuì	2	（名）	exhibition where items are for sale
崭新	zhǎnxīn	8	（形）	brand new
长辈	zhǎngbèi	10	（名）	elders
招待	zhāodài	5	（动）	to receive (guests), to entertain
针对	zhēnduì	3	（动）	in accordance with
真诚	zhēnchéng	6	（形）	sincere, genuine
阵地	zhèndì	9	（名）	position, front, battle field
正月	zhēngyuè	4	（名）	first month of the lunar year
整理	zhěnglǐ	10	（动）	to put in order
正规	zhèngguī	7	（形）	regular, normal
证明	zhèngmíng	1	（动、名）	to prove, to certify; proof, certificate
……之一	…zhīyī	10		one of...
支援	zhīyuán	9	（动）	to support, to help
侄女	zhínǚ	5	（名）	brother's daughter, niece
指定	zhǐdìng	6	（动）	pre-arranged; to designate
至于	zhìyú	10	（连）	as to
志愿	zhìyuàn	8	（名）	choice, wish
制造	zhìzào	2	（动）	to manufacture
质量	zhìliàng	2	（名）	quality
滞后	zhìhòu	9	（动）	to prevent from going forward, to keep waiting
中年	zhōngnián	8	（名）	middle age
中药	zhōngyào	3	（名）	traditional Chinese medicine
重大	zhòngdà	9	（形）	great, weighty
重男轻女	zhòngnánqīngnǚ	5		favoring men to women; considering men superior to women
重用	zhòngyòng	10		to put somebody in an important position
周到	zhōudào	3	（形）	thoughtful

周游列国	zhōuyóulièguó	10		to travel to many countries
逐步	zhúbù	9	（副）	step by step
主动	zhǔdòng	5	（形）	to have initiative
煮	zhǔ	4	（动）	to boil
住宅	zhùzhái	3	（名）	residence
祝福	zhùfú	6	（动、名）	to wish one happiness; blessing
祝愿	zhùyuàn	6	（名、动）	to wish (well)
专家	zhuānjiā	2	（名）	specialist, expert
专科学校	zhuānkē xuéxiào	7		colleges for professional training
专心	zhuānxīn	10	（形）	to concentrate on
转眼	zhuǎnyǎn	8	（副）	very soon (lit.: in the twinkling of an eye)
赚（钱）	zhuànqián	3	（动）	to earn money (in business)
追	zhuī	6	（动）	to chase
资源	zīyuán	9	（名）	natural resources, resources
子弟	zǐdì	10	（名）	children, the younger generation
自给	zìjǐ	2	（动）	to be self-sufficient
自然而然	zìránérrán	9	（成）	naturally, automatically
自我	zìwǒ	6	（代）	-self
总而言之	zǒngéryánzhī	3		in a word
总结	zǒngjié	9	（动、名）	to sum up; summarize
粽子	zòngzi	4	（名）	pyramid-shaped dumplings made of glutinous rice and wrapped in bamboo or reed leaves
租	zū	1	（动、名）	to rent, to lease; money paid to the landlord
足	zú	4	（形）	full, ample
祖籍	zǔjì	6	（名）	ancestral home
尊长	zūnzhǎng	10	（名）	
尊贵	zūnguì	6	（形）	respected, esteemed, honorable
尊敬	zūnjìng	10	（动）	to respect
做官	zuòguān	10		to be a government official

语言点索引

究竟	6	after all
就……来讲	2	as far as . . . is concerned
就是……也……	6	even if
居然	8	unexpectedly
据说	10	it is said
可……了	9	very
可见	2	obviously
恐怕	5	probably, I'm afraid that...
况且	8	besides
明明	4	clearly, obviously, undoubtedly
哪儿有不……的	5	how can... not...
那还用说	6	of course
跑步的跑步，打拳的打拳	8	
偏	8	adamant, obstinately, to turn out contrary
千万	6	never
舍不得	8	cannot bear to
实际上	2	in fact, in reality, actually
说不定	5	maybe, probably
算	1	to be considered, to count as
所（……）的（变化）	3	所 + V + 的 + （N）
万一	5	in case
为的是	10	in order to
无论……（都/也）……	2	regardless of... , no matter what（how）
眼看	8	very soon, to see with one's own eyes, to watch helplessly
要不然	5	otherwise
要不是	7	if it were not for...
要是……就好啦	4	if only
一下子	3	immediately; in a short while
一一	1	every one, one by one
因为……的关系	3	because（of）...
尤其	2	especially

有（火车）可（坐）	2	
这样吧	4	let's do it this way
这样一来	1	consequently
针对	3	to aim at, to be directed against
至于	10	as to
总而言之	3	in a word, in short
（鸡）啦（鱼）啦	3	
（穷）得很	1	... very (poor)
［整数］＋来	7	
……的话	6	if
……来……去	5	back and forth; time and again
……以来	3	since
A 和 B 没关系	3	A has nothing to do with B

责任编辑：曲　径
封面设计：吴　铭

话说中国（下册）
（修订版）
主编　杜　荣（等）
*
© 华语教学出版社
华语教学出版社出版
（中国北京百万庄大街 24 号　邮政编码 100037）
电话：(86)10-68320585
传真：(86)10-68326333
网址：www.sinolingua.com.cn
电子信箱：hyjx@ sinolingua.com.cn
北京外文印刷厂印刷
中国国际图书贸易总公司海外发行
（中国北京车公庄西路 35 号）
北京邮政信箱第 399 号　邮政编码 100044
新华书店国内发行
2002 年（16 开）第三版
2009 年 6 月第三版第二次印刷
（汉英）
ISBN 978-7-80052-855-2
定价：45.00 元